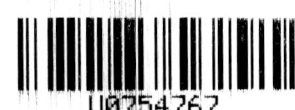

唐诗宋词私学课堂

唐宋词启蒙

李霁野　著

文津出版社

图书在版编目（CIP）数据

唐宋词启蒙 / 李霁野著. — 北京：文津出版社，2017.7

（唐诗宋词私学课堂）

ISBN 978-7-80554-657-5

Ⅰ. ①唐… Ⅱ. ①李… Ⅲ. ①唐宋词—诗词欣赏 Ⅳ. ①I207.23

中国版本图书馆 CIP 数据核字(2017)第 085739 号

·唐诗宋词私学课堂·

唐宋词启蒙

TANGSONGCI QIMENG

李霁野 著

*

文 津 出 版 社 出 版

（北京北三环中路 6 号）

邮政编码：100120

网 址：www.bph.com.cn

北京出版集团公司总发行

新 华 书 店 经 销

大厂回族自治县益利印刷有限公司

*

880 毫米×1230 毫米 32 开本 9.125 印张 175 千字

2017 年 7 月第 1 版 2017 年 7 月第 1 次印刷

ISBN 978-7-80554-657-5

定价：36.00 元

质量监督电话：010-58572393

目　　录

宋　词

开场白

正辉、正虹、正霞：

在《唐人绝句启蒙·开场白》中，我对你们说过，在抗日战争期间，为娱妻课子，我曾抄录过一些唐诗宋词，以后没有用上，抄本也在“文革”中丢失了。年老离休以后，我又浏览中国古典诗词，有些似乎是老友重逢，便起了为你们选讲一些的念头，选出一本《唐人绝句启蒙》，开明出版社印行了，居然还有不少青少年读者购读，感到很欣慰，就着手选《唐宋词启蒙》。先同样简单讲一讲。

我对词并无专门的研究，鉴赏的能力也不高，选的未必精当，你们可就喜者熟读，不喜者就作为过眼云烟放过去吧。我绝对不用考试的办法，使你们死记硬背，因为读书应当是一种轻松愉快的享受，读诗词尤其应当如此。

词是诗的另外一种文体，内容也很有不同之处。诗在传统的教育中，早就占有一定的地位，词是否为青少年的适宜读物，看法也不尽一致。因为词的抒情成分多；所抒写的又多为爱情，不免有些冶艳作品，格调是不高的，当然可以不读这些。

词是音乐性很强的，广泛传播要靠歌唱，而歌唱的主角是歌伎。她们是能歌善舞、文化修养较高的人，多为词人抒写爱情的对象。这就需要为你们解释一下了。

在封建王朝统治下，妇女是没有社会地位的，根本谈不上什么平等，以歌舞为生的歌伎，主要只供有权有势有钱的人享乐。但她们也是有感情的人，同词人相知相爱，也是很自然的事。从这种有时代局限的源泉产生的艺术性很高的作品，当然还可以阅读。

何况文学总脱不开时代的影响，词的题材逐渐扩大，不仅涉及人生的闲情雅趣，也触到国计民生，产生了不少很好的作品。经过唐、五代的发展，到了两宋，词的创作达到了空前的繁荣。许多词人表现了不同风格，形成了不同流派，更显出词的丰富多彩。许多年来词被人欣赏传诵，是很自然的。时代不同了，词产生发展的背景变易了，时光老人是最可靠的批评鉴赏家，经过淘汰，金和沙比较容易识别了。若是你们读这本小书，发现金多，请你们感谢时光老人和词的作者；若是发现沙多，就请原谅我浪费了你们的黄金时光。

1991年6月12日

唐五代词

敦煌曲子词

菩萨蛮

枕前发尽千般愿，要休且待青山烂。水面上秤锤浮，直待黄河彻底枯。　　白日参辰现，北斗回南面。休即未能休，且待三更见日头。

休，罢休，断绝恩爱。秤锤，即秤砣。参辰，即参商，二星永远不能同时出现。北斗七星，俗名勺子星，在天空西北方，不会转到南面。三更见日头也绝无可能。总之，要断绝恩爱，必须所说的不可能的事情出现才行。汉乐府有一首《上邪》："上邪（天哪）！我欲与君相知，长命无绝衰。山无陵，江水为竭，冬雷震震，夏雨雪，天地合，乃敢与君绝！"其情调与此词相似。"直待""且待"都是衬字。

望江南

天上月，遥望似一团银。夜久更阑风渐紧，为奴吹散月边云，照见负心人。

天上月圆，望月引起感慨。夜久更阑是夜已经深了，因风又引起了幻想：希望风吹散蔽月的浮云，让月照到负心人，唤醒他的良心。“似”是衬字。

抛球乐

珠泪纷纷湿绮罗，少年公子负恩多。当初姊妹分明道：莫把真心过与他。子细思量着，淡薄知闻解好么？

绮，精细的绫；罗，面上有稀小的孔；绫罗都是丝织品；绮罗是华丽的衣服。“过与”，付与的意思。淡薄知闻，薄情的相知人；解好么，懂得我的好心吗？“他”在此处读拖 tuō。

鹊踏枝

叵耐灵鹊多瞒语，送喜何曾有凭据？几度飞来活捉取，锁上金笼休共语。　　比拟好心来送喜，谁知锁我在金笼里，愿他征夫早归来，腾身却放我向青云里。

叵耐，不可耐，有可恶意。灵鹊，即喜鹊，一般人迷信喜鹊鸣叫是喜兆。“瞒”或作“谩”，瞒语，谎话。因为送喜无凭，把它活捉住，锁在金笼里面，不再听它的话了。以下几句是假设喜鹊所说的话：本来是准备（比拟）好心好意来送喜讯的，谁知道却把我锁到金笼里面了。但愿（或作“欲”）她的征夫早早回来，两人一高兴，起身放我飞到青云里去。

“在”“却”“向”都是衬字。

李白 （701—762）

生于安西都护府的碎叶城，后迁居四川。天宝初到长安，贺知章荐于唐玄宗，待诏翰林，不久赐金还里，漫游多地。永王李璘聘白为幕僚，李璘兵败受累，被流放夜郎，中途遇赦，后卒于当涂（在今安徽）。

白以诗名，人称“诗仙”。他的词虽不多，但下面两词，却被人称为“百代词曲之祖”。

菩萨蛮

平林漠漠烟如织，寒山一带伤心碧。暝色入高楼，有人楼上愁。　　玉阶空伫立。宿鸟归飞急。何处是归程？长亭更短亭。

平林漠漠，从远处看，平地上的林木广阔无边。烟如织，烟雾弥漫，仿佛织成了一片。寒山，指冷落寂静的山；一带，一条；碧，绿玉。伤心碧，极言冷落的山虽色如碧玉，无比华美，但更增加人的伤感。

暝色，黄昏之色。有人的人，指怀念征夫的女子。玉阶，白石台阶。伫立，久立。宿鸟，指回巢的鸟。长亭、短亭，即“十里一长亭，五里一短亭”，都是大路上行人休息的地方。词的前片写女子在楼上看望山林发愁，后片写女子久立在台阶上，见鸟归林，想象征夫也在征途中，而又不知究在何处。长亭短亭很多，可知路途邈远，愁的情绪更加重了。

忆秦娥

箫声咽，秦娥梦断秦楼月。秦楼月，年年柳色，灞陵伤别。　　乐游原上清秋节，咸阳古道音尘绝。音尘绝，西风残照，汉家陵阙。

咽，悲凉。关于秦娥，我可以给你们讲个故事。秦穆公时，有个萧史善吹箫，吹时孔雀白鹤都来听。穆公的女儿弄玉很喜欢箫声，父亲便把女儿嫁给他了。萧史几年中每天教弄玉吹箫学凤声，学得很像了，居然引来凤凰。夫妇终于成仙，乘凤凰飞走了。秦娥这里泛指秦地（今陕西一带地方）的女子。娥原有美人的意思。一说秦娥指弄玉。

灞陵，汉文帝陵，附近有灞桥，唐人折柳送别的地方，在长安东。我游过灞陵旧址，还折柳送赠想象中的友人，所以读这首词觉得特别亲切。乐游原，旧址在西安南。清秋节，即重阳节，唐人常在这个节日登乐游原游览。咸阳曾经做过秦朝的京城，今属陕西省。音尘绝，是既无人声也无游人踪迹。末两句写现在只有西风吹着，落日照着汉家的陵墓和宫殿了。唐时还有汉代宫殿存在，但这里是借汉喻唐，全词有怀古伤今的意味。

张志和 （约730—786）

婺州金华（今浙江金华）人，隐居江湖，自称“烟波钓徒”。善歌词，并能书画。

渔歌子

西塞山前白鹭飞，桃花流水鳜鱼肥。青箬笠，绿蓑衣，斜风细雨不须归。

西塞山，在浙江吴兴县西。桃花流水，桃花盛开季节汛期的水，称桃花水。鳜鱼［鳜读桂（guì）］，鳞细嘴大，黄褐色。青箬笠，箬是竹的一种，箬笠是用箬竹叶或篾编成的斗笠。蓑衣，用草或棕编织的雨衣。在南方，渔父或农夫在雨天，总戴斗笠，穿蓑衣，在北方看不到。短短的一首词将江南春色和渔翁形象描写得鲜明闲适。

韦应物 （737—792）

长安（今陕西西安）人。曾任滁州、江州、苏州刺史，被人称为韦苏州。他是唐代有名诗人之一，词只存留几首。

调笑令

河汉，河汉，晓挂秋城漫漫。愁人起望相思。江南塞北别离。离别，离别，河汉虽同路绝。

河汉，即天河。天快亮时，模糊不清（漫漫）悬在秋城上空。愁苦的人起来看望，动了相思之情，因为两人一在江南，一在塞北。天河虽在两地都能看到，但是道路远隔，安慰不了离愁别恨。“但愿人长久，千里共婵娟”所表现的些微安慰，似乎也得不到了。

刘禹锡 （772—842）

字梦得，洛阳人。贞元九年（793）进士。参与王叔文政治改革，王失败后，刘被贬为朗州（今湖南常德）司马十年，为民间歌曲倚声填词，很有成绩。晚年与白居易友善。

潇湘神

斑竹枝，斑竹枝，泪痕点点寄相思。楚客欲听瑶瑟怨，潇湘深夜月明时。

斑竹，又名湘妃竹，传说舜的二妃因舜出巡，死于苍梧，二人伤心流泪，泪痕成为竹上的斑纹。第三句就用的是这个典故。三句定了词的基本忧伤情调。楚客，楚地的贬客，是作者自况。瑶瑟是精美的瑟，屈原在《离骚》中写到“湘灵鼓瑟”，这里用的是这个典故，也是同前面二妃传说有关的。潇湘，湘江与潇水的总称，特指二水汇合处。末句写宜于听瑟的时间和地点。全词凄伤悱恻，用形象化的艺术手法，巧妙地表述了作者的心情。

忆江南

春去也，多谢洛阳人。弱柳从风疑举袂，丛兰裛露似沾巾，独生亦含颦。

这首词也名《春去也》，是作者读了同在洛阳的白居易所写《忆江南》之后写的。词用拟人化的手法，将“春”作为有感情的人，所以有第二句“多谢洛阳人”，表示春在去时对洛阳人的感谢。白居易在《忆江南》中有“日出江花红胜火，春来江水绿如蓝”这样的句子。弱柳在风中举袂（袖），即举臂挥手送别，兰丛披露水湿（裛）了，仿佛是流泪湿了手帕，也表示惜别的意思。末句“亦”字表示另有人在。“含颦”，皱眉不快，多为形容女子的，所以末句可以认为有女子见到这种情形而伤悲青春易逝。参看王方俊、张曾峒著《唐宋词赏析》；俞陛云著《唐五代两宋词选释》。

当然，认为词表现作者惜春去的感情，弱柳兰丛似也有惜别之意，只是作者的想象，也可以。

白居易　(737—792)

字乐天，其先太原人，后徙下邽（今陕西省渭南县境）。曾任左拾遗，因好言事，贬为江州司马。后又为杭州、苏州刺史。晚居洛阳，自号香山居士。他主张“文章合为时而著，歌诗合为事而作”，力求为普通群众所了解。写词不多，但对后世影响很大。

忆江南

江南好，风景旧曾谙。日出江花红胜火，春来江水绿如蓝。能不忆江南？

谙，熟悉。第三句是说太阳照耀的江岸上的花比火还要鲜艳。蓝，一种蓼种植物，叶子可做染料。如，在古汉语中意思等于“胜”字。

长相思

汴水流，泗水流，流到瓜洲古渡头。吴山点点愁。
思悠悠，恨悠悠，恨到归时方始休。月明人倚楼。

汴水，发源于河南省，先流入淮河，到江苏省与运河相通。泗水，发源于山东省，亦入淮河，与运河相通。瓜洲，在江苏省扬州南的市镇，运河经此通长江。吴山，江苏一带在春秋时为吴国领域，吴山指那一带的山；点点是从远处看山小而多。思是相思，恨是离恨，二者无穷无尽（悠悠），长如汴泗通淮入江，多如吴山点点。直到远人归来才能终结。未归之前，只有在月明之夜，倚楼发愁了。末句也可解为设想人已归来，月夜倚栏欢庆团圆了。

皇甫松 （约 857 年前后在世）

睦州新安（今属浙江）人，牛僧孺之甥。

梦江南

兰烬落，屏上暗红蕉。闲梦江南梅熟日，夜船吹笛雨潇潇。人语驿边桥。

兰烬，烛将燃完时结的灯花，形似兰心。屏，屏风，这句写灯光照到屏上，光如红蕉（美人蕉，深红色）。二句写夜已深，人要入睡了。以下三句写梦境：梅熟时节多雨，夜里坐在船上一面吹笛，一面听雨声潇潇。同时还听到驿站旁桥上有人说话。梦中情景，耐人寻味。

摘得新

酌一卮，须教玉笛吹。锦筵红蜡烛，莫来迟。繁红一夜经风雨，是空枝。

这词原是唐教坊曲名。首句言饮酒，二句言吹笛，表现享乐现时的思想。三、四句有秉烛夜游的意思。只要享乐是健康的，这种入世思想也未可厚非。末两句有“花开堪折直须折，莫待无花空折枝”的意味，但也有“莫等闲白了少年头，空悲切！”这一面积极的意义。

郑符 （生卒年代不详）

曾任校书郎。与段成式友善。

闲中好

闲中好，尽日松为侣。此趣人不知，轻风度僧语。

这首词以简单的语言，赞扬生活中幽静的乐趣。整天坐在松阴，以松为伴侣，偶然听到轻风送来僧语。

段成式　（？—863）

河南人。唐代宰相段文昌之子。

闲中好

闲中好，尘务不萦心。坐对当窗木，看移三面阴。

这首词也是赞扬生活中幽静乐趣的。前两句说心不为世俗琐事烦扰。末两句说坐着看窗外的树木，太阳照着，树荫从一面转到二面、三面，时间是够长的了。

我为你们选读这两首词，不是要教你们饱食终日，无所用心，而是要教你们一点忙里偷闲的生活艺术。我以前译过一篇散文，《忙里偷闲》，作者就教导我们：人的心弦不能是永远拉紧的弓，要抓住无意得来的片断时间，使心情闲适，可以悠思冥想，有时可以得到意外的智能。英国哲人罗素写了一本《悠闲礼赞》，极力阐说悠闲的心情对于健康、学习和研究工作都是必要的。希望你们以这样的思想作指导，学着从耳闻目睹的日常事物，吸收充实生活的养料。

温庭筠 (813？—870？)

唐末太原祁（今山西祁县）人。考进士不第。《旧唐书》说他“士行尘杂，不修边幅”。他好讽刺达官贵人，所以官运不佳。词存66首，诗与李商隐齐名。

菩萨蛮

小山重叠金明灭，鬓云欲度香腮雪。懒起画蛾眉，弄妆梳洗迟。　　照花前后镜，花面交相映。新帖绣罗襦，双双金鹧鸪。

这首词写闺怨。重叠的小山——绣屏风，被朝阳照射，金色忽明忽暗，这句写早晨情景。二句写初起床妇女：头发蓬乱，似有飞动（度）姿态，笼罩着洁白如雪的腮庞。三、四句写懒画眉，慢化妆，是愁怨的外表具体表现。下片写化妆终于完了，便用两面镜子一前一后照看镜中容貌。帖，通贴，襦，短衣，二句写见到丝绸短衣上用金线贴绣的成双的鹧鸪，引起悲愁就意在言外了。

菩萨蛮

南园满地堆轻絮。愁闻一霎清明雨。雨后却斜阳，杏花零落香。　　无言匀睡脸，枕上屏山掩。时节欲黄昏，无聊独倚门。

这也是一首写闺怨的词，不过上一首细写梳妆，多写室内；这一首虽然也写室内屏风，却侧重写季节天气和这时常见的花树：柳絮已经堆地，香花已零落。忽晴忽雨的清明时节天气，败絮落花，与女主人公的内心感情相适应。这种艺术手法，在词中常见。这类的女主人公在词中也常见，时代使然，在你们的心目中引不起什么美感，我想也是很自然的。

菩萨蛮

夜来皓月才当午，重帘悄悄无人语，深处麝烟长，卧时留薄妆。　　当年还自惜，往事那堪忆。花落月明残，锦衾知晓寒。

首句写已到中夜，尚见明月，人当然还未入睡。二、三句写重帘深处沉默无声，以香料和油脂混制成的烛已经结成很长的烛花，四句写人未洗尽薄妆躺卧着。下片写珍惜当年，回忆往事；花已落，明月残，既知“晓寒”，自然是未曾入睡了。全首词写“相忆梦难成”的情景。

更漏子

星斗稀，钟鼓歇，帘外晓莺残月。兰露重，柳风斜，满庭堆落花。　虚阁上，倚栏望，还似去年惆怅。春欲暮，思无穷，旧欢如梦中。

天上星已少了，报时的钟鼓不再响了，帘外天空中还悬着残月，但黄莺已经开始歌唱了。暮春早景写得很美。兰上露浓，风吹柳舞，落花满地，进一步描写暮春景色。这时倚栏看望，旧欢如梦难以追寻，引起无限愁思，心情像去年一样感到惆怅。

更漏子

玉炉香，红蜡泪，偏照画堂秋思。眉翠薄，鬓云残，夜长衾枕寒。　梧桐树，三更雨，不道离情正苦。一叶叶，一声声，空阶滴到明。

这首词写离愁。上片前三句写环境：玉炉散香，红烛流泪，照着画堂内秋夜满怀离愁的人。后三句写人：眉上画的翠黛已经浅薄，头发已经散乱，因为长夜不眠，觉得枕被都凉了。下片写梧桐夜雨，不理会（不道）人的离愁，滴打着梧叶，一声声直响到天明。用浅显的形象化语言，表现了极深的隐痛。

忆江南

千万恨，恨极在天涯。山月不知心里事，水风空落眼前花。摇曳碧云斜。

这首词写漂泊天涯的苦痛，更苦的是自然界的万物对自己的处境既无所知，也漠不关心。月亮独自发光，不能照亮心头的黑暗。风吹花落，对自己毫无同情。碧云在天空飘飘荡荡，对自己毫不理会。另一种解释说，“恨极在天涯”是怀念远在天涯的情人。

忆江南

梳洗罢，独倚望江楼。过尽千帆皆不是，斜晖脉脉水悠悠。肠断白蘋洲。

词写渴望情人归来，倚楼栏远望，但千帆过去，不见人影，只有夕阳含情不语，绿水向远处流去。此情此景，令人愁肠欲断。白蘋，水生植物，开白色小花；洲，水中小片土地。只是因水而联想到的泛称，并不指专一的地方。

韩偓　（约842—约923）

京兆万年（今属陕西）人。龙纪元年（889）进士。唐亡，依梁朝闽王王审知。著有《香奁词》。

生查子

侍女动妆奁，故故惊人睡。那知本未眠，背面偷垂泪。
懒卸凤凰钗，羞入鸳鸯被。时复见残灯，和烟坠金穗。

故故，故意。首两句写侍女不耐久等，故意动妆奁出声，惊假寐的女主人醒来，正式就寝。三、四句写她本人未入睡而还在偷偷自流泪。末四句写她不卸妆钿而懒怠地躺着，不盖被，时时看着残灯的灯花像金黄的麦穗似的落下来。

韦庄　(836—910)

京兆杜陵（今属陕西）人。少年既孤又穷，但勤学，昭宗乾宁元年（894）进士，诗词均工。广明元年（880）黄巢破长安，韦庄曾写《秦妇吟》记其事。前蜀王建称帝，曾任韦庄为宰相，把他留在蜀中。庄曾在杜甫草堂故址居住过。

荷叶杯

记得那年花下，深夜，初识谢娘时。水堂西面画帘垂，携手暗相期。　　惆怅晓莺残月，相别，从此隔音尘。如今俱是异乡人，相见更无因。

谢娘，常用以指所爱的女子。水堂，临水的屋，如水榭。两句写相见的地方。下片先写别时情景。隔音尘，既听不到声音，也看不到踪迹。末两句写各居异乡，更无缘相见了。一说韦庄有宠姬为蜀王所夺，因写此词。

谒金门

空相忆，无计得传消息。天上嫦娥人不识，寄书何处觅？　　新睡觉来无力，不忍把君书迹。满院落花春寂寂，断肠芳草碧。

上片写相忆而无法通消息，天上嫦娥是比喻所忆的人，嫦娥是传说中窃食仙药而奔月宫的后羿的妻子，自然是无法寄书的了。下片写不忍心看旧时书信字迹，以免在落花寂寂的深院，更增悲伤情绪。

女冠子

四月十七，正是去年今日，别君时。忍泪佯低面，含羞半敛眉。　　不知魂已断，空有梦相随。除却天边月，没人知。

上片写离别时间和别时情况。佯是假装着；敛眉是皱着眉头。二句很逼真生动。下片写只有梦中一见了。此种情怀，除天边月之外，没有人知道，凄伤孤寂之感就更深一层了。

女冠子

昨夜夜半，枕上分明梦见，语多时。依旧桃花面，频低柳叶眉。　　半羞还半喜，欲去又依依。觉来知是梦，不胜悲。

续写上一首词的梦境：不仅谈了许多话，又写了梦中人的容貌，情态写得更自然些。结句略欠含蓄。

浣溪沙

惆怅梦余山月斜，孤灯照壁背红纱。小楼高阁谢娘家。
暗想玉容何所似？一枝春雪冻梅花，满身香雾簇朝霞。

词写梦中及梦后情况和情绪。梦中到了所怀情人（谢娘是泛称）的闺阁，梦醒后，只见月亮已斜挂天际，室内孤灯照着空壁和红色纱帘，心里感到惆怅。这时心中暗想情人的容貌像什么样呢？末两句就是形容她的容貌和体态的：一枝上有春雪的梅花，满身散发着香雾，周身还凝聚着朝霞。

浣溪沙

夜夜相思更漏残，伤心明月凭阑干。想君思我锦衾寒。
咫尺画堂深似海，忆来唯把旧书看。几时携手入长安？

词上片设想对方思念自己的情况，写法很新颖。首句写更漏已残，下两句写人还未眠而凭栏想着对方孤眠清冷寂寞。下片首句有咫尺天涯的意思：画堂虽相隔不远，却“侯门深似海”，不能接近。相忆无奈，只好看看旧时书信了。这时忆起旧约，或有旧地重游之意，所以末句那样提问。入长安只是泛指。

和凝 (898—955)

郓州须昌（今山东东平）人。梁时举进士。在梁、唐、晋、汉、周五代都做过高官，善作短歌艳曲，故号为曲子相公。

渔 父

白芷汀寒立鹭鸶，蘋风轻剪浪花时。烟幂幂，日迟迟，香引芙蓉惹钓丝。

白芷是一种香草。汀，汀洲，水中的小片滩地。首句写鹭鸶立在寒冷的小滩上。二句写微风吹动水面。三句写烟雾笼罩，四句是天色已晚。芙蓉是荷花，末句写渔父在荷香中垂钓。全词是一幅美丽的图画。

春光好

蘋叶软，杏花明，画船轻。双浴鸳鸯出渌汀，棹歌声。春水无风无浪，春天半雨半晴。红粉相随南浦晚，几含情。

蘋，白蘋，水中开白色小花植物。上片写春天景物，形象地写出春光明媚。下片两句写春季风平浪静，半雨半晴，很有特色。红粉即美人，南浦原为地名，这里泛指水域，写美女在这一带结队游春。

张泌　（生卒年代不详）

一说是晚唐人，一说是南唐人。《花间集》存其词23首。

浣溪沙

晚逐香车入凤城，东风斜揭绣帘轻，漫回娇眼笑盈盈。

消息未通何计是，便须佯醉且随行，依稀闻道："太狂生！"

凤城，皇城。前三句写晚上随车进入皇城，风吹开车帘，车中人笑盈盈回眸看望。下三句写无法交谈，互通情意，只好装醉随车子走，仿佛听到车中人说："这个人太狂妄了！"这首词把追车人的轻狂和车中人的端庄都写得很生动。

江城子

浣花溪上见卿卿，眼波秋水明，黛眉轻，绿云高绾，金簇小蜻蜓。好是问他来得么，含笑道："莫多情！"

浣花溪在成都西五里，杜甫草堂所在地。卿卿是对女子的昵称，即女郎之意。下几句说她眼睛明亮，眉用黛轻画，头发（绿云）高高束起，发钗上还有金属小装饰品。这几句描绘出一个美女的形象。末两句一问一答，表现了两人的内心活动，女子的形象就更为完美了。

按《江城子》第二句应为三字句，有认为"秋水"二字是衍文（多余的字句）。

牛希济（约913年前后在世）

陇西（今属甘肃）人。先后在蜀和后唐任过官职。

生查子

春山烟欲收，天淡稀星小。残月脸边明，别泪临清晓。

语已多，情未了，回首犹重道：记得绿罗裙，处处怜芳草。

这是一首写离别的词。上片写时间和当时景色：天将破晓，春山上烟雾将收，天色微明，星辰已经稀少，残月还照着女主人公的别泪。下片写谈话已多，还道不尽心中情意；末两句写希望别后不相忘的眷恋深情：见到芳草也应怜爱，因为联想到她着的绿罗裙。

生查子

新月曲如眉，未有团圞意。红豆不堪看，满眼相思泪。

终日劈桃穰，人在心儿里。两朵隔墙花，早晚成连理。

这首词抒写恋爱情怀。首两句既写了意中人眉如新月之美，也表现了希望月圆之意。红豆像王维诗所说，“此物最相思”，但相思苦得流泪，就变成不堪看的了。桃穰即核桃仁，核桃破开后可以看到桃仁。人与仁双关，比喻意中人在自己心里。连理原指两棵树不同根，但上枝相连，常用以比喻男女相爱，终成眷属，末两句就是表示这种希望。这首词很有《子夜歌》风味。

李珣 （约855—约930）

其先为波斯人，后家居梓州（今四川省三台附近）。他少有诗名，兼通医理。《花间集》《尊前集》中载他的词，所著《琼瑶集》已佚。

浣溪沙

红藕花香到槛频，可堪闲忆似花人。旧欢如梦绝音尘。

翠叠画屏山隐隐，冷铺纹簟水潾潾。断魂何处一蝉新？

荷香频频传到栏杆边，闲忆似花人令人难以忍受。旧欢像梦一样无影无踪了。画的屏风上隐隐约约看到群山，铺的席子像水一样冷冰冰的。不知从哪里传来的蝉声更令人魂断。

南乡子

兰棹举，水纹开，竞携藤笼采莲来。回塘深处遥相见，邀同宴，渌酒一卮红上面。

兰棹，木兰舟的桨。藤笼，用藤编的装莲的筐子。渌酒，清酒。一卮，一杯。将采莲人之间的友好关系，写得十分自然。

南乡子

乘彩舫，过莲塘，棹歌惊起睡鸳鸯。游女带花偎伴笑，争窈窕，竞折团荷遮晚照。

彩舫，彩绘的船，或称画船。棹歌，摇浆时唱的歌。游女带花，佩戴着花的游女。偎，依靠着。争窈窕，互比谁美。团荷，圆的荷叶。晚照，夕阳。这首词和上一首将水乡女子采莲的景色、人情，描绘得富有诗情画意。

南乡子

沙月静，水烟轻，芰荷香里夜船行。绿鬟红脸谁家女？遥相顾，缓唱棹歌极浦去。

沙上月色幽静，水上烟雾轻淡，在荷香里乘船夜行，三句多么引人入胜。诗词中常以“绿云”形容女子发多而黑，所以这里的“绿鬟”是环形发多而黑的意思。极浦，莲湖的遥远水边。上面写到月色，所以可以看到黑发红脸的女子遥遥相望而去。

南乡子

双髻坠，小眉弯，笑随女伴下春山。玉纤遥指花深处，争回顾，孔雀双双迎日舞。

双髻下坠，眉如新月，是形容女子的。这里描写的是结伴游山的情形。玉纤，女子的手指，花深处孔雀双双迎日起舞，确是值得观赏的一景，无怪要争相回看了。

顾敻　（约928年前后在世）

前蜀王建时为宫廷小吏。后官至刺史。后蜀时官至太尉。性好诙谐。

诉衷情

永夜抛人何处去？绝来音。香闺掩，眉敛月将沉。争忍不相寻？怨孤衾。换我心，为你心，始知相忆深。

长夜抛弃我的负心人哪儿去了？毫无音信。只好掩了闺门，皱起眉头，直到月亮快要落了。争，等于现代的怎，怎能忍心不寻找呢？末三句表现了深情。全词用白描手法，毫无雕琢痕迹。

荷叶杯

我忆君诗最苦，知否？字字尽关心。红笺写寄表情深，吟么吟，吟么吟？

思念，写诗，寄诗，但不知对方是否吟诵，相思之苦，步步深入，写得十分自然。

临江仙

碧染长空池似镜，倚楼闲望凝情。满怀红藕细香清。象床珍簟，山障掩，玉琴横。　　暗想昔时欢笑事，如今赢得愁生。博山炉暖淡烟轻。蝉鸣人静，残日傍，小窗明。

碧染长空，无云的晴空；似镜，池无波、平如镜。凝情，感情专注。红藕细香，红莲轻香。象床，象牙装饰的床，俗称象牙床。珍簟，精美的席。山障掩，门关上了。博山炉，是像海中博山的一种精美的香炉，上面细刻重叠山形装饰。词先写外景，后写室内，最后写黄昏时刻，都为主人公回忆往昔欢乐和悲愁创造气氛。末句或作“残月傍窗明”，那就是通宵未睡了。

欧阳炯 （896—971）

益州华阳（今属四川）人，在前蜀、后蜀、宋均任过官职。他曾为《花间集》作序，词亦载《花间集》中。

南乡子

画舸停桡，槿花篱外竹横桥。水上游人沙上女，回顾，笑指芭蕉林里住。

画船停桨不走了。槿花，朝开暮落，种它代替篱笆，我童年在故乡见到过，还记得从上面捉蜻蜓的情形。翠竹横在桥上，把景物点缀得够美了。水上游人和沙滩上游女调情，写得优美自然。

南乡子

洞口谁家，木兰船系木兰花。红袖女郎相引去，游南浦，笑倚春风相对语。

首句写不知是谁人的家，只见有用木兰树所制的画舫系在木兰花树上，诗句很美，已经将人家情况暗示出来了。女郎结队出来，到南浦（江西南昌西南的码头）去游玩，末句写女郎们在春风中偎倚谈笑。女郎们的欢快游兴，纯真友谊，写得清新明快。

南乡子

路入南中，桄榔叶暗蓼花红。两岸人家微雨后，收红豆，树底纤纤抬素手。

桄榔树是常绿乔木，花小，开的花成穗，绿色。一棵树能结百多花穗，每穗结子百多粒，像青色的珠。红豆是相思树所结的实，王维诗中说："此物最相思。"纤纤是形容手的。

孙光宪 （约968年在世）

贵平（今属四川）人。宋太祖授以黄州刺史，将用为学士。未就而卒。著作多已散失。词存《花间集》与《尊前集》中。

生查子

寂寞掩朱门，正是天将暮。暗淡小庭中，滴滴梧桐雨。

绣工夫，牵心绪，配尽鸳鸯缕。待得没人时，偎倚论私语。

上片写黄昏时刻，雨打梧桐，朱门深掩，环境幽静，人越感到寂寞。下片写手在绣花，情绪很不安宁。期待着无人时偎倚着它私语。

更漏子

掌中珠，心上气，爱惜岂将容易。花下月，枕前人，此生谁更亲？　　交颈语，合欢身，便同比目金鳞。连绣枕，卧红茵，霜天暖似春。

掌上明珠，心头气息，怎样爱惜都不容易周到。二者都比喻爱侣。后三句进一步写爱侣比谁都更为亲近。比目金鳞即比目鱼，总是身靠身在水中游泳。末三句写相依为命，健康的夫妻关系是应当这样和谐的。

风流子

茅舍槿篱溪曲，鸡犬自南自北，菰叶长，水葓开，门外春波涨绿。听织，声促，轧轧鸣梭穿屋。

这首词先写茅屋外景，后写织布声音传到屋外。李冰若在《栩庄漫记》中说："《花间集》中忽有此淡朴咏田家耕织之词，诚为异采。盖词境至此，已扩放多矣。"这话说得很好。

槿树是灌木，花早开暮落，农村用作篱笆，称为槿篱；溪曲，屋旁有弯弯流水，所以下面有“春波涨绿”，就是春天水涨了；水边有菰，一种俗称茭白，可作菜蔬的植物；水蔆，一种水生植物。

风流子

楼倚长衢欲暮，瞥见神仙伴侣，微傅粉，拢梳头，隐隐画帘开处。无语，无绪，慢曳罗裙归去。

黄昏时倚楼站着，看见一位漂亮女郎，隐隐约约在画帘开处，脸上傅着薄薄的粉，头发也只随便梳着。彼此未说一句话，她手曳罗裙回家去了。一时的脉脉深情写得很真挚生动。

冯延巳 （903—960）

广陵（今江苏扬州）人。南唐中主李璟年少时，在庐山建筑读书堂，他随侍左右。李璟做皇帝，他曾做宰相。词多写男女离愁别恨，北宋的晏殊和欧阳修很受他影响。

归自谣

何处笛？深夜梦回情脉脉。竹风檐雨寒窗滴。
离人数载无消息。今头白，不眠特地重相忆。

深夜梦醒听到笛声，愁苦极了（情脉脉）。寒窗外风吹雨滴，更加使人愁苦。离别的人几年不通音讯，不能入睡，重新回忆以自慰。

长相思

红满枝，绿满枝。宿雨恹恹睡起迟。闲庭花影移。

忆归期，数归期，梦见虽多相见稀。相逢知几时？

首两句写花繁叶茂，后写“花影移”，表示时间过去了。宿雨，昨夜的雨，雨后所以花更红，叶更绿，人也安心（恹恹）入睡，醒得迟了。醒后忆起外出人的归期，计算日期，恨聚少别多，不知何时再见。词写的还是离愁别恨。

蝶恋花

谁道闲情抛弃久，每到春来，惆怅还依旧。日日花前常病酒，不辞镜里朱颜瘦。　　河畔青芜堤上柳，为问新愁，何事年年有？独立小桥风满袖，平林新月人归后。

闲情实指相思之情，谁说抛开久了就淡忘，每到春天，惆怅依然像旧日一样。照常在花前醉酒，朱颜消瘦也在所不惜（不辞）。青芜，青草，与柳均为绿色，代表阳春朝气，春来复苏，想问它们，我何以年年有新愁复苏，像它们一样呢？怀着这种心情，在小桥上独立，任凭风吹，面对平林新月，游人走尽了之后，只有独自回去了。

蝶恋花

萧索清秋珠泪坠，枕簟微凉，展转浑无寐。残酒欲醒中夜起，月明如练天如水。　　阶下寒声啼络纬，庭树金风，悄悄重门闭。可惜旧欢携手地，思量一夕成憔悴。

秋天萧索，眼泪下落，枕和席都有点凉，身子翻来翻去睡不着。酒将醒了，半夜起来，月光明亮。络纬，即纺织娘，声如织布故名。金风，秋天的风。在与情人旧时携手的地方引起悲感，一夜就使人憔悴了。这自然是夸张的说法。

蝶恋花

六曲栏杆偎碧树，杨柳风轻，展尽黄金缕。谁把钿筝移玉柱，穿帘海燕双飞去。　　满眼游丝兼落絮，红杏开时，一霎清明雨。浓睡觉来莺乱语，惊残好梦无寻处。

这首词的作者或作晏殊，或作欧阳修，或作张泌，据《全唐诗》作冯延巳。栏杆靠近绿树，轻风吹着杨柳，柳条都展开了。有人弹筝，把海燕惊跑了。下片前三句写暮春景色，有境有景。末两句抒情含蓄。

谒金门

风乍起，吹皱一池春水。闲引鸳鸯香径里，手挼红杏蕊。 斗鸭阑干独倚，碧玉搔头斜坠。终日望君君不至，举头闻鹊喜。

头两句写突然起了风，使水面泛起涟漪。次两句写思妇百无聊赖，在弥漫着花香的小路上，用手揉搓杏花心，逗引鸳鸯以自遣。下片写她独自靠在池塘周围的阑干上，观看斗鸭，看得很出神，碧玉钗都歪斜欲坠了。这是进一步写她的百无聊赖的心情。末两句点明她是在想念人，听到喜鹊鸣声而稍感安慰，因为民间相信，喜鹊叫是报喜的。

抛球乐

酒罢歌余兴未阑，小桥秋水共盘桓。波摇梅蕊当心白，风入罗衣贴体寒。且莫思归去，须尽笙歌此夕欢。

喝完了酒，唱完了歌，还未尽兴。在有秋水的小桥上再盘桓一会儿。白梅花蕊在波中摇动，秋风吹进罗衣，觉得身上有点凉意了。尽管如此，且莫想回家，今晚还要尽兴吹笙唱歌哩！

李璟 (916—961)

徐州（今江苏徐州）人，一说湖州人。南唐开国主李昪子，保大元年（943）在金陵继位称帝，在位 19 年。后向周世宗称臣，改称国主。周亡后，又向宋进贡。史称南唐中主。

摊破浣溪沙

菡萏香销翠叶残，西风愁起绿波间。还与韶光共憔悴，不堪看。　　细雨梦回鸡塞远，小楼吹彻玉笙寒。多少泪珠何限恨，倚阑干。

荷花（菡萏）已经没有香味，绿叶已经残败了。绿波间刮起了西风，因为花败叶残，所以说“愁起”。韶光（美好的时光）消逝，人也一同憔悴了，不堪看此等景色了。下片的鸡塞是鸡鹿塞（地名）的简称，这里只泛指边塞。吹彻，吹奏完毕；玉笙寒，可能为笙被吹湿而寒，亦可能为笙声凄凉。

李璟很欣赏冯延巳的词句："风乍起，吹皱一池春水。"戏问他："吹皱一池春水，干卿何事?"冯答道："未若陛下'小楼吹彻玉笙寒'。"

李煜 （937—978）

李璟的第六子，961 年嗣位，史称南唐后主。宋破金陵，煜投降，还被封了官职。据说后为宋太宗赐药毒死。所著诗词很多，后人只辑存几十篇。

乌夜啼

林花谢了春红，太匆匆。无奈朝来寒雨，晚来风。燕脂泪，留人醉，几时重？自是人生长恨水长东。

林里的红花谢了，未免太匆忙了。早晨下着寒雨，晚上又刮风，无可奈何呀。泪湿燕脂，留人醉饮，几时还能再有这样的事情呢？词是写离愁的。

乌夜啼

无言独上西楼，月如钩，寂寞梧桐深院锁清秋。剪不断，理还乱，是离愁，别是一番滋味在心头。

上片写景，秋季深院里新月照着梧桐，又默默无言，一人独自登楼，景里也就有寂寞的离愁了。下面把离愁写得既形象（剪不断，理还乱，都是具体的活动），又深入内心，滋味自然也就是愁味。

清平乐

别来春半，触目愁肠断。砌下落梅如雪乱，拂了一身还满。　　雁来音信无凭，路遥归梦难成。离恨恰如春草，更行更远还生。

春半，指仲春。砌，台阶。落梅，有一种白色的梅，落花较晚，因以“如雪”形容它；下句形容花落得很多。下片写雁传书既靠不住，路远了，也难成归梦，所以离恨就像春草一样滋生了。

长相思

一重山，两重山，山远天高烟水寒，相思枫叶丹。

菊花开，菊花残，塞雁高飞人未还，一帘风月闲。

此词写深秋怀远，语浅情深。花开花谢，月色照窗，都是容易怀人的时候。

浪淘沙

帘外雨潺潺，春意阑珊，罗衾不耐五更寒。梦里不知身是客，一晌贪欢。　　独自暮凭栏，无限江山，别时容易见时难。流水落花春去也，天上人间。

潺潺，原指水流动声，这里指雨声。阑珊，将要完了。罗衾，丝绸作面的被。末两句，叹息自己一向只知贪图享乐，梦里还不知道已经亡了国，做了阶下囚了。这里写亡国之恨。下片写黄昏时独自凭栏远看，想象中看到南唐的广阔河山，怀念故国的感情自在言外，想再见自然是困难的了。末两句的大意是：流水落花表示春天已去，但不知道去到天上人间什么地方了。春也可看为象征过去的荣华，天上人间无处可寻，也就是化为乌有了。

虞美人

春花秋月何时了，往事知多少？小楼昨夜又东风，故国不堪回首月明中。　雕栏玉砌应犹在，只是朱颜改。问君能有几多愁，恰似一江春水向东流。

春花秋月，代表季节更替；了，完结，意思是说岁月总是轮回。二句言回忆中的往事很多，但最不堪回首的是已亡的国。下片前两句就是引申上文：豪华建筑（雕花的栏杆，白玉石的台阶）应当依然存在，只是换了主人（朱颜改是换了朝代的隐语）。这种亡国之愁是源远流长的，像一江春水。

望江南

多少恨，昨夜梦魂中；还似旧时游上苑，车如流水马如龙，花月正春风。

上苑是帝王打猎游玩的地方。车如流水，马如游龙，是车和马很多，队伍络绎不绝。首句说，昨夜梦中所见，引起多少恨来，后三句写具体的梦的内容：

旧时在上苑打猎或游玩，风中盛开着花，月色明媚，随从的朝臣、嫔妃、宫女等所乘的车马队伍浩浩荡荡。梦幻中的乐同现实中的悲只对衬一写，不用多着一语，对于读者就有了巨大的艺术感染力。这是李煜词的一大特色。

宋词

王禹偁 （954—1001）

钜野（今山东巨野县）人。宋太宗兴国八年（983）进士。因为刚直敢于直谏，屡遭贬谪。他的诗风平易清新，词仅存一首。

点绛唇

雨恨云愁，江南依旧称佳丽。水村渔市，一缕孤烟细。天际征鸿，遥认行如缀。平生事，此时凝睇，谁会凭栏意？

江南多雨多云，很令人愁闷，但风景依然美丽。下面写农村情形，水乡自然多鱼，但人烟稀少，所以只偶有一缕炊烟。天边长征的大雁，远远看来，紧依成行，仿佛连缀在一起。这时定睛看望着它们，有谁理会我扶栏杆站在那里的心事？末句含蓄地倾吐了平生政治抱负不能实现的怨意。

潘阆 （？—1009）

大名（今属河北）人，一说广陵（今江苏扬州）人。宋太宗时赐进士第。几次遭受贬谪，并因牵连，曾改名隐匿，后又被赦。有诗名，词仅存《酒泉子》10首。

酒泉子

长忆观潮，满郭人争江上望。来疑沧海尽成空，万面鼓声中。　　弄潮儿向涛头立，手把红旗旗不湿。别来几向梦中看，梦觉尚心寒。

观潮，指每年8月钱塘江潮。郭，内城以外的地方，满郭言人极多。沧海，苍青色的海，尽成空，形容潮大，仿佛海水排空而来。鼓声，比喻潮声，高如万鼓齐鸣。弄潮儿，在潮中游泳的健儿。这两句是概括周密在《武林旧事·观潮》中的记载："吴儿善泅者数百……手持十幅大彩旗……出没于鲸波万仞中，腾身百变，而旗略不沾湿。"这景况几次在梦中见到，还心惊胆战。可见对惊险场面留下了极深印象。全词豪放，别开一种风气。

林逋　（967—1028）

浙江钱塘（今杭州市）人。隐居孤山，不做官，不娶妻，20年不到城市，喜植梅养鹤，人称“梅妻鹤子”。

长相思

吴山青，越山青，两岸青山相对迎。谁知离别情？
君泪盈，妾泪盈，罗带同心结未成。江边潮已平。

吴山，在钱塘江北岸；越山，在钱塘江南岸。相对地迎送来往船只，而不了解离别之情。君指男，妾指女，在离别时以女的口气叹息，罗带未能结同心，即恋爱未能成眷属。古时以丝带打成同心结，即表示两人相爱之意。末句说潮水已涨，船该开行了，言外暗示离愁别恨也达到高潮了。

范仲淹 (989—1052)

先世为邠（今陕西县名）人，后迁居吴县（今苏州）。他在陕西守卫边塞多年，西夏不敢来犯。他在政治上主张革新，但为守旧派阻挠，不能实现。

苏幕遮

碧云天，黄叶地，秋色连波，波上寒烟翠。山映斜阳天接水，芳草无情，更在斜阳外。　黯乡魂，追旅思，夜夜除非好梦留人睡。明月楼高休独倚，酒入愁肠，化作相思泪。

这是一首细写深秋景色，以抒怀人之情的词，写景是一幅多彩的美丽图画，抒情委婉、深刻。碧云天，碧空有浮云飘动，云天一色。黄叶地，大地同金黄色的落叶混为一体；上两句所写秋色又与秋水相连，秋水上又笼罩着翠微色的寒烟。斜阳照映着远山，远处天和水合成一片，深秋的景色就更显得美丽了。芳草无情，更在斜阳外，是由远处的斜阳，联想到更远的芳草——所怀的人，乡思也就意在言外了。下片进一步明确写出乡魂使自己心情暗淡，回忆起羁旅悲愁，只有做好梦才能入睡了，言外也有乡愁。末三句是词人警戒自己：不要在月明之夜，独上高楼倚栏远望，借酒浇愁，酒却化为相思的眼泪了。这三句也是回顾上文，所写秋景是登楼看到的。

渔家傲

塞下秋来风景异，衡阳雁去无留意。四面边声连角起，千嶂里，长烟落日孤城闭。　　浊酒一杯家万里，燕然未勒归无计。羌管悠悠霜满地。人不寐，将军白发征夫泪。

范仲淹在1040—1043年间，在陕北督师，抵御西夏（党项族）的侵犯，这首词写的就是那时的边塞情况、征夫及将帅的心情。塞下，边塞地区。二句说雁无意留在边塞，向衡阳飞去，据说雁飞到衡阳为止，那里有回雁峰，不再南飞了。边声，指边塞各种声音，其中也有军中乐器（角）声。千嶂里，在群山之中。浊酒，色浊如乳的酒。燕然未勒，意谓未在燕然山上刻石记功，即战败敌人；归无计，即不能归去。燕然山即杭爱山，在蒙古国境内。后汉窦宪破北单于登此山，班固为撰封燕然山铭，刻碑记功。这里用的是这个典故。羌管即羌笛，原是羌族乐器，故名。

词把边塞风光写得非常出色，下片写战争艰苦，征夫心情，将帅壮志，委婉深刻，情景融为一体了。

御街行

纷纷坠叶飘香砌，夜寂静，寒声碎。真珠帘卷玉楼空，天淡银河垂地。年年今夜，月华如练，长是人千里。

愁肠已断无由醉，酒未到，先成泪。残灯明灭枕头攲，谙尽孤眠滋味。都来此事。眉间心上，无计相回避。

香砌，上面有落花香味的台阶。寒声碎，风吹落叶发出的微声。真珠即珍珠；玉楼空，豪华的楼中已无人居住。天淡，天空清澈无云，所以银河仿佛垂到地上了。如练，像煮熟的丝绸一样洁白。攲，斜靠着枕头。都来，意为算来，也可释为统统。末两句即愁“才下眉头，却上心头”，总是摆脱不了。

上片写秋景有声有色，下片写离情如痴如醉。

柳永 （生卒年代不详）

崇安（今福建县名）人，景祐元年（1034）始中进士。他为人放荡不羁，常与歌伎乐工交往，吸收民间新声，发展成为慢词（曲调舒缓），对词的发展颇有影响。他曾有词句："忍把浮名，换了浅斟低唱。"宋仁宗在他应试要放榜时，故意不取他，说："且去浅斟低唱，何要浮名。"他善为歌辞，教坊乐工，每得新腔，必求永为辞。于是有人云："凡有井水饮处，即能歌柳词。"可见他的词颇受群众欢迎。

雨霖铃

寒蝉凄切，对长亭晚，骤雨初歇。都门帐饮无绪，方留恋处，兰舟催发。执手相看泪眼，竟无语凝噎。念去去、千里烟波，暮霭沉沉楚天阔。　　多情自古伤离别，更那堪，冷落清秋节。今宵酒醒何处？杨柳岸，晓风残月。此去经年，应是良辰、好景虚设。便纵有，千种风情，更与何人说？

寒蝉，一名寒蜇，可以鸣到深秋。长亭相隔10里，短亭相隔5里，是旅客休息换马的地方。帐饮，城外无房屋，设帐幕宴饮送别；无绪，心情不佳。凝噎，喉咙堵塞，说不出话。暮霭，晚间的烟雾；楚天，泛指江南的天空，此地原属楚。今宵两句是为被送的人设想的。风情，情意。“更”一作“待”。

词从离别的瞬间写起，既设想到旅途中情况，又意料到别后心绪，自然而又生动，很富有感染力。

八声甘州

对潇潇暮雨洒江天，一番洗清秋。渐霜风凄紧，关河冷落，残照当楼。是处红衰翠减，冉冉物华休。惟有长江水，无语东流。　　不忍登高临远，望故乡渺邈，归思难收。叹年来踪迹，何事苦淹留？想佳人妆楼长望，误几回，天际识归舟。争知我、倚栏杆处，正恁凝愁。

潇潇，形容雨声。红衰翠减，处处花落叶凋，冉冉物华休，美丽景物渐渐衰败。归思，思乡之情。何事苦淹留，为什么事久留在外呢？下两句设想佳人在家登楼远望，好多次误认为天际归舟载着自己归来。争，怎么。正恁凝愁，正在解不开愁结。

上片写秋景凄清，衬出下片乡愁寂寞。设想对方误认归舟，思己情切，但怎么知道自己望乡思远，而愁结难解呢？这种对衬写法，大大增加了艺术感染力。苏轼不喜柳词，但对此词却很欣赏，称霜风三句“不减唐人高处”。

凤衔杯

有美瑶卿能染翰，千里寄，小诗长简。想初襞苔笺，旋挥翠管红窗畔。渐玉箸、银钩满。　锦囊收，犀轴卷。常珍重，小斋吟玩。更宝若珠玑，置之怀袖时时看。似频见、千娇面。

瑶卿是对所爱女子的美称，她善写字，寄来小诗长信。以下几句是想象她打开信纸，在红窗旁挥笔（翠管）写字，渐渐把字（玉箸、银钩形容笔画）写满了。上片写她写诗写信的情况。下片就写自己收诗信之后如何卷藏，如何视为珠宝，不仅置之怀中，还时时取出吟玩，因为这样就仿佛见到她的美丽面容。一件平常事被诗化了。

佳人醉

暮景萧萧雨霁，云淡天高风细。正月华如水，金波银汉，潋滟无际。冷侵书帷梦断，却披衣重起。　临轩砌，素光遥指。因念翠娥，杳隔音尘何处，相望同千里。尽凝睇，厌厌无寐，渐晓雕栏独倚。

首两句写傍晚天晴了，天高气爽，云淡风轻。三、四句写地上如水月光，天上银河，互相辉映，水天一色，水波荡漾（潋滟），无边无际。后两句写寒气打断了梦，披衣起来。下片写站到房前台阶上面，月光遥照到远方，因而想到所爱的女子（翠娥为美称）现在杳无音信，但相望还可以“千里共婵娟”吧。因而尽量定睛远望，弄得有气无力（厌厌，同奄奄），睡不着觉了，天快亮了，还倚着栏杆独立。

蝶恋花

伫倚危楼风细细，望极春愁，黯黯生天际。草色烟光残照里，无言谁会凭阑意。　拟把疏狂图一醉，对酒当歌，强乐还无味。衣带渐宽终不悔，为伊消得人憔悴。

伫倚，久立；危楼，高楼。望极句，按意思大体是：向远处看望，悲伤的春愁从天际产生，下句即写天际情况，末句说自己默默无言，无人理解凭阑独立是什么意思。下片说想不拘小节，放肆地一醉消愁，但勉强寻欢作乐，也无味。衣带渐宽，是渐渐消瘦了；消得是值得的意思，两句说，为她憔悴是值得的。作者另一首词，末尾三句是：“潘妃宝钏，阿娇金屋，也应消得。”说明消不能单独作消瘦解。

张先 （990—1078）

乌程（今属浙江）人。天圣八年（1030）进士。作词工于炼语，多有佳句。曾任过官职，晚年退居乡间，卒年89。

相思儿令

春去几时还？问桃李无言，燕子归栖风紧，梨雪满西园。　犹有月婵娟，似人人、难近如天。愿教清影长相见，更乞取长圆。

惜春归去，又不知春归何处。桃李花谢（无言），燕子归巢，梨花落满西园，都是春归的形象描写。下片以月喻人，她好像月在天上，难以接近。只愿能长见清影，更希望永远团圆。

天仙子

时为嘉禾小倅，以病眠，不赴府会

水调数声持酒听，午醉醒来愁未醒。送春春去几时回？临晚镜，伤流景，往事后期空记省。　　沙上并禽池上暝，云破月来花弄影。重重帘幕密遮灯，风不定，人初静，明日落红应满径。

嘉禾，宋时郡名，今浙江嘉兴市。张先那时在那里做判官。“水调”，那时流行的曲调名。伤流景，伤流水样逝去的年华。往事，以前的事；后期，以后的约会；空记省，白白记忆了；并禽，并栖的鸟，指鸳鸯；暝，天色已暗。关于下一句：“云破月来花弄影”，我给你们讲一段小故事吧。

有人对子野（张先的号）说：“人皆谓公张三中，即‘心中事’，‘眼中泪’，‘意中人’也。”子野说：“何不目之为张三影？……‘云破月来花弄影’，‘娇柔懒起，帘压卷花影’，‘柳径无人，堕风絮无影’，此余平生所得意也。”

青门引

乍暖还轻冷，风雨晚来方定。庭轩寂寞近清明，残花中酒，又是去年病。　　楼头画角风吹醒，入夜重门静。那堪更被明月，隔墙送过秋千影。

天气骤暖还带点微寒，终日风风雨雨，到晚方止。庭院走廊（庭轩）寂静，花已残落，这正是清明时节景象，像去年一样愁病，饮酒过量醉了。下片写入夜更静，又被画角吹醒，寂寞之感更增。月光送过墙那边打秋千的人影，寂寞之情跃然纸上。

木兰花

乙卯吴兴寒食

龙头舴艋吴儿竞，笋柱秋千游女并。芳洲拾翠暮忘归，秀野踏青来不定。行云去后遥山暝，已放笙歌池院静。中庭月色正清明，无数杨花过无影。

乙卯为宋神宗熙宁八年（1075）。龙头舴艋，刻有龙头的小船，赛船用。笋柱秋千，指秋千架的形式，如悬钟磬的架子一样；芳洲，水中的小沙洲；拾翠，拾翠鸟的羽毛，用作装饰，游春时顺便作消遣。踏青，寒食清明前后的郊游。以上都写的是寒食清明时节的各种游戏。下一句的行云，可泛称天上浮云，也借指美人，以后者较佳，因此词不仅写景，也抒情。美人既去，远山显得黯然无色，笙歌队伍也分散（已放）了，庭院静了。月色照着无影的凋落杨花，凄清的境界就形象化地点了睛了。

晏殊 (991—1055)

抚州临川（今江西抚州市）人。7岁能文，被称为神童。真宗景德二年（1005）召试，赐同进士出身。宋仁宗时官至宰相。他引用了范仲淹、欧阳修等人。他也写诗，词还是从诗中选出的（所谓"诗余"），但他写诗反不如词著名。

浣溪沙

一曲新词酒一杯，去年天气旧亭台，夕阳西下几时回？
无可奈何花落去，似曾相识燕归来。小园香径独徘徊。

词写春残景象，见景感到寂寞，伤韶光之飞逝。花自落去，对己并无同情，同归燕只似曾相识而已，对己也并无同感。自己的孤寂感也就无限加深，只好在花径独自徘徊了。

作者还写过一首七律，"无可奈何"两句是诗中的五、六句。"小园"为诗的第二句。论者有人认为入词较好。以诗句入词是偶然有的。这词还曾被误编入“南唐二主词”内。

蝶恋花

槛菊愁烟兰泣露，罗幕轻寒，燕子双飞去。明月不谙离恨苦，斜光到晓穿朱户。　　昨夜西风凋碧树，独上高楼，望尽天涯路。欲寄彩笺无尺素，山长水阔知何处？

在怀着离愁的人看来，栏杆里的菊花在烟雾里发愁，兰花带露似在哭泣，轻寒侵入罗幕（帘幕），燕子也双双归去了。明月不知道离愁恨苦，到早上那斜光还照射到屋里。昨夜的西风使青枝绿叶的树凋零了，独自登高楼，向天涯远处看望。想到远人，离恨更深入一层。彩笺、尺素都是写书信所用，前者似只是纸张，后者使人想起古诗：“客自远方来，遗我双鲤鱼。呼儿烹鲤鱼，中有尺素书。”似乎尺素书是藏在鲤鱼形的外封里面的。二者并提，加重无法写信之意。末句说明原因：伊人远隔万水千山，不知她在什么地方。离愁就更进一层了。

破阵子

燕子来时新社，梨花落后清明。池上碧苔三四点，叶底黄鹂一两声，日长飞絮轻。　　巧笑东邻女伴，采桑径里逢迎。疑怪昨宵春梦好，原是今朝斗草赢，笑从双脸生。

燕子是候鸟，新社是春社，是古代祭土地神的日子，在立春后，这时燕子便来了，在秋社时飞去。巧笑，《诗经》里有这样两句形容女子美丽的眼睛和笑容的诗："巧笑倩兮，美目盼兮。"逢迎，相遇。疑怪，难怪。斗草，古代妇女用草来比赛输赢的游戏。因为赢了，所以两个人都笑了。一件小事，把一对青年男女的生活乐趣写得十分生动。宋词写青年欢快生活的极少，这一首大概你们更为乐读吧。

清平乐

红笺小字，说尽平生意。鸿雁在云鱼在水，惆怅此情难寄。　　斜阳独倚西楼，遥山恰对帘钩。人面不知何处，绿波依旧东流。

上片记为情人写信，述说平生。相传雁能传书，尺素书外表常为鲤鱼，也代表书信，此句写书信难通。下片写景，惆怅不知收信人在什么地方。人面句来自“人面不知何处去”，人面指女子。

李冠 （生卒年代不详）

历城（今济南）人。虽当时有文名，文集已不传。下面一首词的作者，也有多种说法。一说是李煜作。

蝶恋花

遥夜亭皋闲信步，才过清明，渐觉伤春暮。数点雨声风约住，朦胧淡月云来去。　　桃杏依稀香暗度。谁在秋千、笑里轻轻语。一寸相思千万绪，人间没个安排处。

写暮春情思，景既写得好，情也写得细。数点两句写得固佳，谁在两句写出了引人爱的少女形象。此景此情，就引起千头万绪的相思，无地可以安排了。王安石曾说张先的“云破月来花弄影”，不如李冠的“朦胧淡月云来去”。

宋祁 （998—1061）

安陆（今属湖北）人，后移居开封雍丘（今属河南）。天圣二年（1024）与兄庠同举进士。曾官翰林学士，史馆修撰，与欧阳修合修《新唐书》。

玉楼春

东城渐觉风光好，縠绉波纹迎客棹。绿杨烟外晓寒轻，红杏枝头春意闹。　　浮生长恨欢娱少，肯爱千金轻一笑？为君持酒劝斜阳，且向花间留晚照。

縠绉，织有绉纹的丝绸，这里用来形容波纹。棹，船桨。“红杏枝头春意闹”，把盛开的杏花形容得生动美妙，向称佳句。浮生，飘忽不定的人生。肯爱，岂肯吝惜，全句意思是不惜千金买一笑。末两句对“夕阳无限好”表示惋惜珍爱。

我顺便给你们谈一谈一件童年的故事。我的大姑母家宅后塘边，有一棵很大的杏树，大概比我的年岁还大。杏花盛开时，我总每天去呆望多次，但对这美景不知怎样形容是好。多年后，我读到这句词，惊喜万分，童年的印象又活现在我的眼前了，自然还有许多美好联想。生活不仅是文艺创作的源泉，也是文艺欣赏的源泉，希望你们牢牢记住。

欧阳修 （1007—1072）

字永叔，号六一居士。庐陵（今江西吉安）人。天圣八年（1030）中进士。文章和词均著名。

采桑子

春深雨过西湖好，百卉争妍。蝶乱蜂喧，晴日催花暖欲然。　　兰桡画舸悠悠去，疑是神仙。返照波间，水阔风高飏管弦。

全词写西湖景物，情在言外。百卉三句写百花争放，色艳如欲燃的火，蝴蝶乱舞，蜜蜂嗡嗡飞鸣，如见其形，如闻其声，暮春景物，引人入胜。兰桡画舸都是美丽的游船，船上悠游，心情欢快，有如神仙。末两句写夕阳照射广阔水面，风送来管弦乐声，更令人心荡神怡了。

渔家傲

花底忽闻敲两桨，逡巡女伴来寻访。酒盏权将荷叶当，莲舟荡，时时盏里生红浪。　　花气酒香清厮酿，花腮酒面红相向。醉倚绿荫眠一饷，惊起望，船头阁在沙滩上。

首句写听到桨声；逡巡，不一会，女伴来找。三、四句写用荷叶当酒杯，船动时酒在杯里晃荡，借着莲花的光，像红浪在波动。花腮，荷花，酒面，人脸，互相对照，也就是“荷花向脸两边开”，写人美却意在言外。小睡一会，船搁浅在沙滩上了。

长相思

花似伊，柳似伊，花柳青春人别离。低首双泪垂。
长江东，长江西，两岸鸳鸯两处栖。相逢知几时！

伊人如花似柳，但在青春美好时期，两人离别了，不免令人伤心垂泪。这是人生常有的事，也是常人之情，写得平易自然。下片具体写到身居两地，后会无期，也写得平易自然。但语浅情深，同前一首词对读，似乎可以说：“淡妆浓抹两相宜”吧。

踏莎行

候馆梅残，溪桥柳细，草薰风暖摇征辔。离愁渐远渐无穷，迢迢不断如春水。　　寸寸柔肠，盈盈粉泪，楼高莫近危栏倚。平芜尽处是春山，行人更在春山外。

候馆，旅舍。梅花残败，柳叶稀疏（柳细），已是暮春。草薰，草香；摇征辔，骑马前行。下两句写越走远，离愁越像春水一样不断。上片写外出的人，下片写留在家里的女子：柔肠寸断，热泪盈眶。危栏，有危险的高楼栏杆，不要倚靠太近眺望，因为行人越走越远，走完平坦的草地，还有更远的春山，是看不到的了。行、留两人的离愁虽然分开来写，却能融为一体，艺术感染力就大大加深了。

蝶恋花

庭院深深深几许？杨柳堆烟，帘幕无重数。玉勒雕鞍游冶处，楼高不见章台路。　　雨横风狂三月暮，门掩黄昏，无计留春住。泪眼问花花不语，乱红飞过秋千去。

这是写闺怨的词。在旧时代，富贵人家的男子多有冶游的恶习，一般认为无可非议，实际上女子处于被奴役践踏的地位，是十分悲惨的，词为女子写出怨情，还算有可取之处，但谈不上正义的抗争，因为宋代词人也超脱不了时代的恶习。对于这一点，我们要有正确深刻的认识。

宋词多写爱情，但对象多为被恶习践踏的女子，我以为我们读词，应当扬弃这个不幸的基础，以现代净观的态度对待爱情本身，并以当代的道德规范处理爱情问题，简单说，尊重妇女的平等地位和权利。至于表现的艺术是我们完全可以欣赏借鉴的。

庭院深，但深到怎样呢？下两句似乎就是形容庭院深度的：既有许多杨柳，又有重重帘幕。主人公显然是个富贵人家的公子。玉勒雕鞍，是勒鞍都很华贵，他骑着这样的马冶游去了，因为楼高把章台路都遮得看不清了。章台路是汉长安的一条街，原为游乐场所，以后就是歌伎聚居的地方了。下片就写的是被留深闺的女子的情况了：暮春天气，雨骤风狂，已够凄清；黄昏时闺门紧闭，凄清又进一步加深；留春不住，又进一层；泪眼—问花—花不语，愁的层次又一步一步加深了，末一句就到了顶点：花由盛开到凋落，秋千由嬉戏到空闲了。

蝶恋花

几日行云何处去？忘了归来，不道春将暮。百草千花寒食路，香车系在谁家树？　　泪眼倚楼频独语。双燕来时，陌上相逢否？撩乱春愁如柳絮，依依梦里无寻处。

词写怀念远人，伤怀离别。三设问，感情逐渐深入：何处去？在谁家？相逢否？第三句就痴情毕露，频频自言自语的形象，也就活现在读者的眼前了。

木兰花

别后不知君远近，触目凄凉多少闷。渐行渐远渐无书，水阔鱼沉何处问。　　夜深风竹敲秋韵，万叶千声皆是恨。故倚单枕梦中寻，梦又不成灯又烬。

这首词也是写别恨的。首先写分别，不知相离远近。次写没有书信，连消息也不通了。下片又进一步，连风吹竹叶，也都表达离愁别恨了。末写想在梦中寻求安慰，但已到夜深，灯将熄灭，梦也没有做成。离愁一层比一层更深。

浪淘沙

把酒祝东风，且共从容。垂杨紫陌洛城东，总是当时携手处，游遍芳丛。　　聚散苦匆匆，此恨无穷。今年花胜去年红。可惜明年花更好，知与谁同？

上片写昔日携手同游之乐，首两句欲挽春长留，三句写同游地点，末写同游情况。下片写“人有悲欢离合”，花虽比去年开得更好，“人面不知何处去”了，昔欢更显得今悲。末两句说明年的事就难预料了。过去—现在—将来，三者连写，语少而内涵丰富。

清平乐

小庭春老，碧砌红萱草。长忆小阑闲共绕，携手绿丛含笑。　　别来音信全乖，归期前事堪猜。门掩日斜人静，落花愁点青苔。

春老，春天已经迟暮了，台阶上的萱草发红是一种现象。绿丛即花丛，所写情况与前一首词相似。下片写全无音信，旧时相约再见的事难预料了。末两句写寂寞心情及周围情况。

写同样事情，同样情感，因为善于选字用词，仍然可以给读者一种新鲜的感觉，这首词里的“碧砌红萱草”，“携手绿丛含笑”，“落花愁点青苔”，就是如此。所以我们选读两首内容几乎相同的词，要仔细领会作者的遣词用句，同时要识别陈词滥调，这种情形在词里也是常有的。

晏几道　（生卒年代不详，或云1030—1106）

晏殊的第七子。不践诸贵之门，文章翰墨，自立规模，尤工乐府，有《小山集》。

临江仙

梦后楼台高锁，酒醒帘幕低垂。去年春恨却来时，落花人独立，微雨燕双飞。　记得小蘋初见，两重心字罗衣。琵琶弦上说相思。当时明月在，曾照彩云归。

头两句写实景，梦后酒醒写人，楼台高锁，帘幕低垂，写房屋内外。却来，再来；这句说春天来了，愁也来了。下面两句从翁宏的《宫词》引用，把愁来时人的形象和自然界情况描写得极好，向来为人传诵。引别人诗入乐府是可以的，但要恰到好处，水乳交融。小蘋是歌女的名字，穿的是心字罗衣，对此有不同解释，似以衣上绣有心字图案为好。她善弹琵琶，很能表达爱情。末两句写别时明月曾照彩云（比喻美人，指小蘋）归去，现在明月依旧，彩云却没有踪影了。

蝶恋花

醉别西楼醒不记，春梦秋云，聚散真容易。斜月半窗还少睡，画屏闲展吴山翠。　　衣上酒痕诗里字，点点行行，总是凄凉意。红烛自怜无好计，夜寒空替人垂泪。

这是一首回忆往事的词。首句写醉醒时记不清离开西楼的情形了，但只觉得聚散太容易了，像春梦和秋云一样。下面两句写醒后屋内的情况：斜月照着半窗，画屏上展现着江南美景。衣上酒痕，诗里字，都表现出凄凉的意境。红烛虽然同情自己，却又毫无办法，只有在寒冷的夜里，烛油下泻，似替自己流泪罢了。

鹧鸪天

彩袖殷勤捧玉钟，当年拼却醉颜红。舞低杨柳楼心月，歌尽桃花扇底风。　　从别后，忆相逢，几回魂梦与君同。今宵剩把银釭照，犹恐相逢是梦中。

彩袖，穿彩色衣服的歌女，捧着精美酒杯殷勤劝酒，当年心甘情愿醉酒红脸，是回忆往事。三、四句具体写轻歌曼舞的情形：舞到月亮低落下去，歌到手中的桃花扇不再扇动，也就是歌舞到尽兴了。下片写离别以后，多次梦到曾同歌舞的人。釭，音 gāng，后为灯的同义语：剩把（尽力用）银釭照看，还怕相逢是做梦呢。词把聚、别、重逢的心情都写得自然、真挚。

阮郎归

旧香残粉似当初，人情恨不如。一春犹有数行书，秋来书更疏。　　衾凤冷，枕鸳孤，愁肠待酒舒。梦魂纵有也成虚，那堪和梦无。

首两句说人情还不如香和粉持久，下两句即是具体表现。衾凤、枕鸳，即绣凤的被和绣鸳鸯的枕头。末两句说想再在梦中相会，那也是假的，何况连梦也没有呢！孤寂得可以想见了。

少年游

离多最是，东西流水，终解两相逢。浅情终似，行云无定，犹到梦魂中。　　可怜人意，薄于云水，佳会更难重。细想从来，断肠多处，不与者番同。

离别很像流水，虽分流东西，终于还会相逢。浅薄的交情像行云，虽无定处，梦魂中还可一聚。但可惜我心上人的情意却薄于行云流水，佳会难再。这都是为末三句做对衬，写法很特别。者，原为“这”的本字，现在通用“这番”“这个”了。

采桑子

秋来更觉消魂苦，小字还稀。坐想行思，怎得相看似旧时？　　南楼把手凭肩处，风月应知。别后除非、梦里时时得见伊。

首句写秋天思念更苦，书信也更稀少了。坐着和走路时，总是想着怎样才能和旧时一样见面。下片回想以前相见时握手扶肩的情况，这是当时的风月可以做证的。但别后只有在梦里常见了。

秋蕊香

池苑清阴欲就，还傍送春时候，眼中人去难欢偶，谁共一杯芳酒？　　朱阑碧砌皆如旧，记携手。有情不管别离久，情在相逢终有。

春天就要完了，池苑就会有清阴了。但是与心爱的人未能欢聚，能同谁共饮芳杯呢？以前携手处的栏杆和台阶依旧，本来易引起伤感，但转念自慰：只要仍有感情，不管离别得多么长久，终归还会有欢聚的时候。

醉落魄

满街斜月，垂鞭自唱阳关彻。断尽柔肠思归切，都为人人、不许多时别。　　南桥昨夜风吹雪，短长亭下征尘歇。归时定有梅堪折。欲把离愁、细捻花枝说。

街头月斜，天色已经晚了，自己还一面挥鞭，一面唱《阳关三叠》。这时柔肠寸断，思归心切，都因为心爱的人不许离别的时间太长。下片写旅途情形，暂时停歇下来了。这时想到回到家里时，有梅花可以折了，便可细捻花枝，对伊人诉说离愁了。

王诜 （生卒年代不详）

开封人。能诗善画。熙宁二年（1069）娶英宗女魏国大长公主。元丰二年（1079）因与苏轼有牵连被谪放。词清丽幽远，为黄庭坚、周邦彦所称道。

玉楼春

海　棠

锦城春色花无数，排比笙歌留客住。轻寒轻暖夹衣天，乍雨乍晴寒食路。　　花虽不语莺能语，莫放韶光容易去。海棠开后月明前，纵有千金无买处。

锦城指成都，首两句写到处百花盛开，笙歌处处。下两句写天气和气候。下片写莺啼花丛，动静之美和谐，在此大好时光，不要把时间浪费了。一旦海棠花谢，千金也难以买回了。

王观 （生卒年代不详）

如皋（今江苏县名）人。嘉祐二年（1057）进士，官至翰林学士。以填应制词失敬被谪，自号逐客。

卜算子

送鲍浩然之浙东

水是眼波横，山是眉峰聚。欲问行人去那边，眉眼盈盈处。　　才始送春归，又送君归去。若到江南赶上春，千万和春住。

鲍浩然，不知何人。之，往。浙东，浙江东南部，宋属浙东路。

词的头两句，用形容美女眼波眉峰的词来形容浙东的水和山。三句说明被送的人到什么地方（去那边即去哪里），四句眉眼指山水，盈盈意为美好，即山明水秀的地方。下片嘱友人若到江南赶上春天，要尽量享受春天的大好时光。

苏轼 （1036—1101）

字子瞻，号东坡居士，眉山（今属四川）人。嘉祐元年（1056），与弟辙同中进士。他们的父亲洵亦能文，世称三苏。他反对王安石变法，也不赞成司马光尽废新法。他仕途坎坷，屡遭贬逐，晚年还谪儋州（今海南省儋县），后被赦北归。病逝于常州。

水调歌头

丙辰中秋，欢饮达旦，大醉。作此篇，兼怀子由。

明月几时有？把酒问青天。不知天上宫阙，今夕是何年？我欲乘风归去，又恐琼楼玉宇，高处不胜寒。起舞弄清影，何似在人间？　　转朱阁，低绮户，照无眠。不应有恨，何事长向别时圆？人有悲欢离合，月有阴晴圆缺，此事古难全。但愿人长久，千里共婵娟！

丙辰，熙宁九年（1076）。达旦，到天亮。子由是苏轼的弟弟辙，字子由。他当时在济南，兄苏轼在密州，兄弟已7年不相见了。

宫阙，宫殿，阙是两边的楼。琼楼玉宇，神仙所住的楼殿。怕天上太冷，受不了，因在地上伴影跳舞，仿佛不像在人间。绮户，雕花的窗户。此两句写月亮转过朱阁，渐渐低落下去了。“不应有恨”两句：月亮不应有恨（无情），为什么偏在人离别时圆呢？说人间不应有恨事，月在离别时常圆，也可以。末两句祝愿人常健好，虽千里遥隔，而能共赏明月（婵娟）。宋人相信，中秋各地天气相同，不论在什么地方，都能共赏明月。别人诗中也有这种意思的句子。

念奴娇

赤壁怀古

大江东去，浪淘尽、千古风流人物。故垒西边，人道是、三国周郎赤壁。乱石穿空，惊涛拍岸，卷起千堆雪。江山如画，一时多少豪杰。　　遥想公瑾当年，小乔初嫁了，雄姿英发，羽扇纶巾，谈笑间，樯橹灰飞烟灭。故国神游，多情应笑我、早生华发。人间如梦，一樽还酹江月。

故垒，旧时的营垒。周郎，吴的周瑜。郎为尊称。赤壁，作者所游所写的赤壁，一名赤鼻矶，在黄州城外，三国赤壁之战在嘉鱼县，二者不同。作者也曾说过，他所谓赤壁，“或曰非也”。千堆雪，形容浪花。上片主要写赤壁和人事沧桑。下片公瑾，即周瑜；小乔，乔是姓，姊妹二人皆国色，小乔嫁了周瑜。英发，擅长辞令。羽扇，羽毛扇，纶〔读 guān〕巾，丝帛做的便帽，都是便服，不是戎装，都是形容周瑜的。下面说樯橹，指曹操方面的战船，顷刻间就被烧光了。故国，指旧战场；神游，心神向往。多情两句的意思是：应笑我多情，早生华发（灰白的头发）。自笑人笑，含蓄而未明说。酹〔读 lèi〕，以酒倒地祭奠。

这首词是苏轼在元丰五年（1082）作的，时在谪地黄州。以史抒怀，悲怆而又豪放，是苏轼有代表性的作品之一。

临江仙

夜饮东坡醒复醉，归来仿佛三更。家童鼻息已雷鸣，敲门都不应，倚杖听江声。　　长恨此身非我有，何时忘却营营？夜阑风静縠纹平，小舟从此逝，江海寄余生。

东坡，是地名，苏轼用作自己的号。这时苏轼在黄州，在东坡建筑雪堂。词题《夜归临皋》（临皋为江边的另一地名），大概雪堂尚未建好，故去临皋夜宿。词上片写在那里醉酒的情形：倚杖听江声，可见诗人的潇洒风度。下片抒情。叹自己身非己有，因谪居有罪，不能自由。营营，过乱糟糟的生活。愿夜深风平浪静，乘小船到江海上度过余生。

鹧鸪天

林断山明竹隐墙，乱蝉衰草小池塘。翻空白鸟时时见，照水红蕖细细香。　　村舍外，古城旁，杖藜徐步转斜阳。殷勤昨夜三更雨，又得浮生一日凉。

首句写树林遮不断远山，而竹子却把墙遮住了。乱蝉，秋蝉声乱鸣。翻空白鸟，白鹭在天空飞舞，红莲映水发香。下片写诗人在斜阳下扶手杖缓步，感到昨夜下雨，天气凉爽了，心情畅快。诗意清新。

浣溪沙

麻叶层层苘叶光，谁家煮茧一村香。隔篱娇语络丝娘。
垂白杖藜抬醉眼，捋青捣麨软饥肠，问言豆叶几时黄。

苘〔读 qǐng〕，麻的一种，也叫白麻。煮茧，蚕茧放在开水内煮。络丝娘，是一种鸣虫，亦称纺织娘，这里指缫丝的女郎，她们隔着篱笆说话。垂白，须发斑白的老人；杖藜，扶藜茎的手杖。捋〔读 luō〕青，摘取新麦；捣麨〔读 chǎo〕，将麦炒熟捣成粉。软饥肠，古有“软脚”一词，意表慰劳，所以这三个字有略慰饥肠之意。这里可以看出诗人有怜惜贫苦农民的心情。所以末句问“豆叶几时黄”，既表慰问，也表希望丰收。

宋词写生产劳动的多为采莲采菱，并总与青年男女爱情联系，像这首词写煮茧收麦，是罕见的，所以生僻的字虽多，我还是选给你们一读。煮茧收庄稼我都多次见到过，比你们读起来，觉得亲切多了。

贺新郎

乳燕飞华屋，悄无人，桐阴转午，晚凉新浴。手弄生绡白团扇，扇手一时似玉。渐困倚，孤眠清熟，帘外谁来推绣户？枉教人，梦断瑶台曲。又却是，风敲竹。

石榴半吐红巾蹙，待浮花浪蕊都尽，伴君幽独。秾艳一枝细看取，芳意千重似束。又恐被、秋风惊绿，若待得君来向此，花前对酒不忍触。共粉泪，两簌簌。

乳燕，小燕子；飞华屋，在华美的房屋中学飞。桐阴转午，从桐树的影子看到时间已到午后了。生绡白团扇，用生丝制作的白团扇。帘外谁来……风敲竹，以为有谁来，其实并无人来，而是风吹竹声。瑶台，传说中仙人的住处，曲，又深又曲的地方。红巾，比喻石榴花，此句意为石榴花半开。浮花浪蕊都尽，桃杏等花都已凋谢，只有石榴花和幽独的人做伴了。秾艳两句是形容盛开的色艳石榴花的。又恐句意为秋风一起，不仅万紫千红的花凋谢，连万绿（指叶）也要消失了。若，有假设的意思，假如君（指远人）那时前来，就不忍在花前对饮，而要双双流泪了。

蝶恋花

花褪残红青杏小，燕子飞时，绿水人家绕。枝上柳棉吹又少，天涯何处无芳草。　　墙里秋千墙外道，墙外行人，墙里佳人笑。笑渐不闻声渐杳，多情却被无情恼。

词写晚春时节一个生活片断。花褪残红，花凋落了，而青杏还小。柳棉，即柳絮，及下句都写春色已晚。下片写在墙外行走时，听到墙内有人打秋千说笑，动了爱慕的心。墙内人笑语声停止了，似乎无情，墙外的多情人却感到烦恼了。

江城子

乙卯正月二十日夜记梦

十年生死两茫茫，不思量，自难忘。千里孤坟，无处话凄凉。纵使相逢应不识，尘满面，鬓如霜。　　夜来幽梦忽还乡，小轩窗，正梳妆。相对无言，惟有泪千行。料得年年断肠处，明月夜，短松冈。

乙卯是熙宁八年（1075），苏轼在密州（今山东诸城县），他的妻子王弗，死去整10年。两茫茫，彼此不通消息。王弗葬在四川彭山县，所以说千里孤坟，无法凭吊。下片写做梦还乡的情况。短松冈，指妻子埋葬的地方。苏轼不写艳情诗，但从这首词看来，他对妻子的感情是深厚真挚的。

江城子

密州出猎

老夫聊发少年狂，左牵黄，右擎苍，锦帽貂裘，千骑卷平冈。为报倾城随太守，亲射虎，看孙郎。　酒酣胸胆尚开张，鬓微霜，又何妨，持节云中，何日遣冯唐？会挽雕弓如满月，西北望，射天狼。

左牵黄，右擎苍，左手牵着黄狗，右臂擎着苍鹰。锦帽貂裘是猎装，千骑，千匹马。倾城是万人空巷，随太守（苏轼当时是密州太守）出猎。亲射虎，看孙郎，用三国时吴孙权射虎的故事，作者以孙权自比，正是少年狂的姿态。酒酣三句是首句的具体补充。持节两句，先讲节是竹竿做的，使者拿着它作为信号，传达命令。这里也牵涉一段历史故事。

《史记》记载，汉文帝派冯唐持节赦魏尚，恢复他的官职。两句合起来的意思是：哪一天皇帝会派冯唐这样的人持节前来，赦免自己并任以官职，以便像末句所说的立功呢？天狼，狼星，古代天文学家认为主侵掠，不祥之兆，这时西夏正侵扰宋朝，地又在西北方，似乎有去边疆立武功的意思。

顺便说一下，首句作者自称“老夫”，其实那时他不过39岁，只刚到中年。古时诗人有叹老的习性，不时在诗词中透露出来，你们了解这一点就可以了。“人生七十古来稀”嘛，那时人不如现在寿长。

李之仪 （1038—1117）

沧州无棣（今山东县名）人。宋神宗时举进士。曾在定州苏轼幕府中任职。徽宗初年，以文章获罪。晚年住在当涂。自号姑溪居士，著有《姑溪词》。

卜算子

我住长江头，君住长江尾，日日思君不见君，共饮长江水。　　此水几时休？此恨何时已？只愿君心似我心，定不负，相思意。

完全是民歌格调，清新自然。顾敻的《诉衷情》中有这样三句："换我心，为你心，始知相忆深。"意与末两句相似。

清平乐

仙家庭院，红日看看晚。一朵梅花挨枕畔，玉指几回拈看。　　拥衾不比寻常，天涯无限思量。看了又还重嗅，分明不为清香。

一个生活细节，写出无限情思，语浅情深，耐人寻味。

黄庭坚　（1045—1105）

洪州分宁（今江西修水县）人。治平四年（1067）举进士。晚年两遭贬谪，卒于宜州（今属广西）。与张耒、晁补之、秦观共称为苏（轼）门四学士。尤长于诗。称“苏黄”，世称江西诗派之祖。陈后山以之与秦观共称“秦七、黄九”。

水调歌头

瑶草一何碧，春入武陵溪。溪上桃花无数，花上有黄鹂。我欲穿花寻路，直入白云深处，浩气展虹霓。只恐花深里，红露湿人衣。　　坐玉石，欹玉枕，拂金徽。谪仙何处，无人伴我白螺杯。我为灵芝仙草，不为朱唇丹脸，长啸亦何为！醉舞下山去，明月逐人归。

仙草何等碧绿呵，春天到武陵溪游玩。这里武陵溪并非实际的地方，只是暗示陶渊明在《桃花源记》中所写的世外桃源。下两句写这个地方的实景：无数桃花盛开，花丛中还有黄鹂歌唱。这是远隔尘寰，鸟语花香的仙境似的地方，把瑶草生地进一步形象化了。这景物引起词人脱离尘寰，直上白云深处，一展彩虹似的浩气和幻想。但一转念，又有了苏轼的“又恐琼楼玉宇，高处不胜寒”的情绪，也就是没有完全抛弃人间的意思。所以“只恐花深处，红露湿人衣”。下片写自己倚坐在洁白如玉的石上，弹琴自娱。谪仙指李白，没有他用白螺壳杯同饮，又觉得人间寂寞，言外自然有不满之意。下面的“灵芝仙草”，代表世外桃源中的美好事物；“朱唇丹脸”代表醇酒妇人，也就是人间尘俗的一切，徒自长啸，有什么用处呢！因此明月逐我，醉舞下山去了。

清平乐

春归何处？寂寞无行路。若有人知春去处，唤取归来同住。　　春无踪迹谁知？除非问取黄鹂。百啭无人能解，因风飞过蔷薇。

无行路，见不到春的行踪。啭，婉转鸣叫，声音好听，但不解其意。因风，随着风。为什么要问黄鹂呢？有这么一个故事，或者可以说明意义。有个戴颙，带着柑和酒外出，有人问他到什么地方去，他说去听黄鹂，因为它的鸣声既可砭责俗人的耳朵，也可以引起诗兴。

江城子

画堂高会酒阑珊。倚阑干，霎时间。千里关山，常恨见伊难。及至而今相见了，依旧似，隔关山。　　倩人传语问平安。省愁烦，泪休弹，哭损眼儿不似旧时单。寻得石榴双叶子，凭寄与，插云鬟。

画堂酒酣，倚阑干霎时一见，便对伊有情，恨关山遥隔难见。等到再见，仍旧觉得像关山遥隔，而伊人未必有同感。因此，只好倩人传语代问平安，但不要愁烦弹泪，哭坏了眼睛，因为还在单独想着，且再寄去石榴双叶，希望她插戴发上吧。

好女儿

春去几时还？问桃李无言。燕子归栖风劲，梨雪满西园。　　惟有月婵娟。似人人、难近如天。愿教清影常相见，更乞取团圆。

风劲，风力大，所以燕子归巢。梨雪满西园，西园地上落满衰谢的梨花。月亮美好，远在天上，伊人像月难以接近。愿能常见月亮清影（借指伊人），更求能够团圆（相爱）。

晁端礼　（1046—1113）

一作元礼，钜野（今山东巨野）人。熙宁六年（1073）举进士，曾任过县令。

安公子

渐渐东风暖，杏梢梅萼红深浅。正好花前携素手，却云飞雨散。是即是，从来好事多磨难。就中我与你才相见，便世间烦恼、受了千千万万。　　回首空肠断，甚时与你同欢宴？但使人心长在了，管天须开眼。又只恐、日疏日远衷肠变，便忘了当本深深愿。待寄封书去，更与丁宁一遍。

上词基本上是用口语写的，在诗词中罕见。唐朝有一位诗人王梵志，用口语写了很多首诗，有些富于幽默、讽刺。我给你们举一个例子：“我有一个方便，价值百匹练。相打长伏弱，至死不入县。”打架宁肯自已吃亏，也不到衙门里打官司，衙门里的情形，不就可想而知了吗？这词的内容是普通人的普通感情，所以也颇自然。

李元膺 （生卒年代不详）

东平（今属山东）人。只知约1096年前后在世。

茶瓶儿

悼亡

去年相逢深院宇，海棠下，曾歌《金缕》，歌罢花如雨。翠罗衫上，点点红无数。　　今岁重寻携手处，空物是人非春暮。回首青门路，乱红飞絮，相逐东风去。

上片写携手同歌的欢乐。《金缕》，曲名：“劝君莫惜金缕衣，劝君惜取少年时。”你们曾经读过的。下片写物是人非，又是暮春时候，只见落花飞絮了。

秦观 （1049—1100）

字少游，号淮海居士。高邮（今属江苏）人。元丰八年（1085）进士。以苏轼推荐，曾任太学博士兼国史编修官。曾遭贬谪，又被召回。卒于藤州（今属广西）。

满庭芳

山抹微云，天连衰草。画角声断谯门。暂停征棹，聊共引离尊。多少蓬莱旧事，空回首，烟霞纷纷。斜阳外，寒鸦数点，流水绕孤村。　　销魂。当此际，香囊暗解，罗带轻分，漫赢得青楼薄幸名存。此去何时见也？襟袖上空染啼痕。伤情处，高城望断，灯火已黄昏。

首两句写山上涂抹上缕缕浮云，枯草在远处仿佛粘在天上，天色写得细致。画角，号角；谯门，彩绘的城楼门角声已停，表示天已晚了。接着写把船暂停住，共长时间喝送别的酒。蓬莱原为海上仙岛，这里只说回想起过去的欢乐，空回首，想也白想了，因而转目外望，下面几句的描写是很出色的。隋炀帝有断句："寒鸦飞数点，流水绕孤村。"此词似借用诗句。下片香囊暗解，指离别时赠香囊做纪念；罗带，即丝带，古时相结表示相爱，分开则表示离别之意。"漫赢得青楼薄幸名存"自然会使人想到杜牧的诗句："十年一觉扬州梦，赢得青楼薄幸名。"这是多少世纪的时代恶习，是古典诗词中应当扬弃的糟粕，我还选给你们读，只是泼洗澡水不能把婴儿也一同泼出去之意耳。

秦观因此词首句，被苏东坡称为："山抹微云秦学士"与"露花倒影柳屯田"相对。"露花倒影"系柳永《破阵子》词中句。

江城子

西城杨柳弄春柔，动离忧，泪难收。犹记多情曾为系归舟。碧野朱桥当日事，人不见，水空流。　韶华不为少年留，恨悠悠，几时休？飞絮落花时候一登楼。便做春江都是泪，流不尽，许多愁。

首句写杨柳被春风吹动，姿态轻柔。外出回来，多情人为系归舟，情景多么宜人。现在碧色田野和朱色小桥依然如旧，却不见多情人了，水也白白流动，不如系舟时动人了。下片写美好时光（韶华）飞逝，离愁无穷。絮飞花落，已是暮春，登楼一望，觉得满江春水都是流不尽的眼泪。

鹊桥仙

纤云弄巧，飞星传恨，银汉迢迢暗度。金风玉露一相逢，便胜却人间无数。　　柔情似水，佳期如梦，忍顾鹊桥归路？两情若是久长时，又岂在朝朝暮暮。

纤云指秋天的薄云，弄巧指它多彩善变；飞星应是指牵牛、织女星；传恨，指长时离别之恨。相传牛郎织女相爱，触怒王母娘娘，把他们用银河分开，每年七月七日夜，才能过鹊桥一会。金风，秋风；玉露，露珠；代表二人，一相会，便胜过人间无数次会晤，表示他们爱情的深笃。下片前三句形容他们的恩爱，自然也有惜别情绪；忍顾是不忍回顾要归去所走的鹊桥。

以牛郎织女的故事写诗词的人很多，此词写一年一会，胜过平常的朝夕相处，很有新意。神仙天长地久，“人生七十古来稀”也是“胜却人间无数”。

踏莎行

郴州旅舍

雾失楼台，月迷津渡，桃源望断无寻处。可堪孤馆闭春寒，杜鹃声里斜阳暮。　　驿寄梅花，鱼传尺素，砌成此恨无重数。郴江幸自绕郴山，为谁流下潇湘去。

郴州，今湖南郴县。首句意为雾遮住了楼台，次句意为月色不明，看不清渡口。桃源既可指桃花源，理想的胜地，也可指作者北望故乡，有了乡愁。可堪两句写独居孤馆，耐着春寒，日近黄昏，又听到杜鹃鸣声，而这种鸣声常引起人的乡思，情景凄清。下片“驿寄梅花”，有一段很美的故事，我给你们讲讲吧。陆凯同范晔是很要好的朋友，有一天陆折得一枝梅花，托驿站的人代送给范晔，并附赠一首诗：“折梅逢驿使，寄与陇头人。江南无所有，聊赠一枝春。”以后传为友谊佳话。尺素是书信，外封多作鲤鱼形，破鱼可以看到信。砌，堆积起来。郴江，在郴州，流入湘水。幸自，本来。潇湘，湘水流向北方，到零陵同潇水会合，称潇湘。词的末两句大意是：郴江原是绕着离郴州不远的郴山流的，为什么要流向远处的潇湘呢？作者当时被贬谪到郴州，心情苦闷，叹自己困在郴州，不能像郴江一样向远处畅流。

浣溪沙

漠漠轻寒上小楼，晓阴无赖似穷秋。淡烟流水画屏幽。自在飞花轻似梦，无边丝雨细如愁，宝帘闲挂小银钩。

轻寒远远地侵入小楼，早晨天又阴，令人无可奈何，好像已经是晚秋了。淡烟流水是屏风上的景色。落花似梦，细雨如愁，写物也就表现了人的愁思，比直写更有诗意。末句是用小银钩挂起门帘，也是用外在动作表现内心寂寞。

南歌子

赠陶心儿

香墨弯弯画，燕脂淡淡匀，揉蓝衫子杏黄裙，独倚玉阑无语，点檀唇。　　人去空流水，花飞半掩门。乱山何处觅行云？又是一钩新月、照黄昏。

首句写画眉，二句写敷脂粉，三句写服装。檀为赭红色，作为口红，点在唇间，最为明显。上片只写美女。下片写人去如流水，无处寻觅，只有新月照着黄昏，寂寞离愁自在言外。

行香子

树绕村庄，水满坡塘。倚东风，豪兴徜徉。小园几许，收尽春光。有桃花红，李花白，菜花黄。　　远远苔墙，隐隐茅堂。飏青旗，流水桥傍。偶然乘兴，步过东冈。正莺儿啼，燕儿舞，蝶儿忙。

词写生活环境和生活情趣，如临其境，如见其人。

好事近

梦中作

春路雨添花，花动一山春色。行到小溪深处，有黄鹂千百。　　飞云当面化龙蛇，夭矫转空碧。醉卧古藤阴下，了不知南北。

路上的花，因下雨生长得更为茂盛了，花被风吹动，春色满山。走到小溪水深处，还有千百只黄鹂，景色更加美丽。仰望天空，浮云似龙似蛇，千变万化，浮云飞去后，天空却变成了碧色。末句写醉卧藤下，不知天南地北了。梦境写得十分出色。

赵令畤 （1061—1134）

宋太祖次子燕王德昭玄孙。苏轼为改字德麟，自号聊复翁。苏轼推荐他任官职，轼贬，他被处罚金。

菩萨蛮

轻鸥欲下春塘浴，双双飞破春烟绿。两岸野蔷薇，翠笼薰绣衣。　　凭船闲弄水，中有相思意。忆得去年时，水过初别离。

海鸥想下水塘洗浴，双双穿过春烟飞舞，轻、春、飞破、绿，都用字巧妙。上片实写水边初别情况。下片划船弄水，引起相思，忆起去年旧事，就情景交融了。

贺铸　（1052—1125）

字方回，卫州（今属河南）人。他自说是唐诗人贺知章的后代。家藏书万余卷，手自校雠，无一字误。黄庭坚诗："解道当年断肠句，只今惟有贺方回。"又因青玉案词有"梅子黄时雨"，人称为"贺梅子"。

青玉案

凌波不过横塘路，但目送、芳尘去。锦瑟华年谁与度？月台花榭，琐窗朱户，只有春知处。　　碧云冉冉蘅皋暮，彩笔新题断肠句。试问闲愁都几许？一川烟草，满城风絮，梅子黄时雨。

词写同美人离别。凌波形容女子的行路姿态。横塘，在姑苏城外10余里，贺铸小筑所在的地方名。目送芳尘去，眼看着她行时脚下引起的尘土越离越远。锦瑟原为乐器，以它比喻美好的青春，与谁共度，同什么人同度呢？月台，赏月的平台；花榭，花房；琐窗朱户，雕花的窗，朱漆的门；只有春知处，别人不知也不会到。冉冉，流动貌；蘅皋，香草之泽，即水边风景美好的地方。末句以遍地衰草、满城柳絮、梅雨等形象地形容闲愁。

西江月

携手看花深径，扶肩待月斜廊。临分少伫已怅怅，此段不堪回想。　　欲寄书如天远，难销夜似年长。小窗风雨碎人肠，更在孤舟枕上。

这词也是写离愁别恨的，先写看花待月，分手时已感怅怅，分后已不堪回首了。下片深入一步，觉得夜长似年，孤舟风雨之夜不能入睡。

忆秦娥

晓朦朦，前溪百鸟啼匆匆。啼匆匆，凌波人去，拜月楼空。　　去年今日东门东，鲜妆辉映桃花红。桃花红，吹开吹落，一任东风。

这词也是写离愁的，只是情景与前一首略有不同。离愁的情景本来千变万化，所以词中反复写的很多，当然不能首首都写得出色。

石州引

薄雨初寒，斜照弄晴，春意空阔。长亭柳色才黄，远客一枝先折。烟横水际，映带几点归鸦，东风销尽龙沙雪。还记出门来，恰而今时节。　　将发。画楼芳酒，红泪清歌，顿成轻别。已是经年，杳杳音尘多绝。欲知方寸，共有几许清愁，芭蕉不展丁香结。枉望断天涯，两厌厌风月。

微雨天刚刚有点冷，傍晚天晴，有了斜阳，远近都充满了春意。驿站柳色才黄，远客折柳话别。下几句写出关正是在这时节，当时的景色是：水边有朦胧烟雾，雾中有几只归鸦，边远地区的雪已经化完了。下片写别时情景，别已经年，而音信杳杳，引李商隐诗句“芭蕉不展丁香结”形容自己的离愁。

下面我们只当一个故事讲讲吧。宋代吴曾写了一本《能改斋漫录》，书中记：“方回（即贺铸）恋一姝（女郎），别久，姝寄诗云：‘独倚危阑泪满衿，小园春色懒追寻。深思纵似丁香结，难展芭蕉一寸心。’贺因赋此词，先叙分别时景色，后用所寄诗语有‘芭蕉不展丁香结’之句。”这类逸闻多半是不可靠的，我姑妄言之，你们也就姑妄听之吧。

你们为啥有点愁眉不展呀？这个愁眉不展，你们容易懂，因为学校作业太难太多，考试看不清意思，答不上来，你们都会愁眉不展。芭蕉和丁香同愁有什么相干呢？我给你们解释一下吧。

唐朝诗人张说的《戏草树》诗中有这样两句：“戏问芭蕉叶，何愁心不开”，所以芭蕉不展就代表心里有愁的意思了。南唐词人李璟写过一首《浣溪沙》，其中有一句：“丁香空结雨中愁”，所以“丁香结”也就表示愁了。

鹧鸪天

重过阊门万事非，同来何事不同归？梧桐半死清霜后，头白鸳鸯失伴飞。　　原上草，露初晞，旧栖新垄两依依。空床卧听南窗雨，谁复挑灯夜补衣？

阊门，苏州西北的城门。梧桐半死，比喻丧失配偶，下句也就做了解释了，因为鸳鸯向指夫妻，失伴就是丧偶了。梧桐半死的意思，像芭蕉丁香一样，还要多解释几句才明白。枚乘写的《七发》中，有这样一句："龙门之桐……其根半死半生。"庾信《枯桐赋》中有一句"桐何为而半死"。二者都是比喻丧失配偶的。他们都是古代作赋的文人。在唐人诗中，就有诗句："半死梧桐老病身。"下片露初晞即露水刚干；旧栖，旧时同住的屋；新垄，死者的新坟；两依依，二者都令人怀念。最后写一句家常事，感情就表现得更为真挚、亲切近人了。

仲殊 （生卒年代不详）

原姓张名挥，安州（今湖北安陆）人，曾中进士，后弃家为僧，居杭州吴山宝月寺，东坡常与之游。崇宁中，忽上堂辞众，晚自缢身亡。名家选词中多称“僧挥”。

踏莎行

浓润侵衣，暗香飘砌，雨中花色添憔悴。凤鞋湿透立多时，不言不语厌厌地。　　眉上新愁，手中文字，因何不倩鳞鸿寄？想伊只诉薄情人，官中谁管闲公事！

浓重的潮湿气侵入衣服，台阶上飘着不知哪里传来的香味，雨中花的颜色显得有点衰败了。一个女子鞋湿透了，还在水里站立很久，无精打采地不言不语。她愁眉苦脸，手里拿着写好的文字，为什么不托鱼雁寄出呢？想来她是要控诉薄情人，但衙门里有谁管这等闲事！被薄情人遗弃的女子无处申诉的可悲情况，写得平易近人。

晁补之　（1053—1110）

济州钜野（今山东巨野县）人。元丰二年（1079），举进士。苏轼门下四学士之一。受贬谪，归隐东皋。有《琴趣外篇》6卷，自称词之佳者，未必不如秦七、黄九。

盐角儿

亳社观梅

开时似雪，谢时似雪，花中奇绝。香非在蕊，香非在萼，骨中香彻。　　占溪风，留溪月，堪羞损、山桃如血。直饶更、疏疏淡淡，终有一番情别。

社，祭祀土地神之庙；在亳，因名亳社。上片写梅的色与香。下片写梅占领风月，使色艳的山桃羞愧。末几句写梅的品格高超。

生查子

夜饮别佳人，梅小犹飘雪。忍泪一春愁，过却花时节。
相见话相思，重与临风月。休似那回时，无事还轻别。

别后始知离别苦，情思缠绵。再见相约不再轻别。

周邦彦 （1056—1121）

钱塘人，字美成。少即英隽有才。元丰二年（1079）入都为太学生。4年后献《汴都赋》歌颂汴京及新法。司马光旧党执政，遭废黜。哲宗、徽宗朝政治上又较为顺利。卒于南京（今河南商丘）。好音乐，能自度曲。

少年游

并刀如水，吴盐胜雪，纤指破新橙。锦幄初温，兽烟不断，相对坐吹笙。　　低声问：向谁行宿？城上已三更，马滑霜浓，不如休去，直是少人行。

并刀，并州在今山西太原一带，以刀剪著名。如水，形容刀光闪亮如水，极为锋利。吴盐，吴地产的盐；胜雪，比雪还白。橙味酸，以盐减其酸味。锦幄，锦帐。兽烟，兽形炉内熏香的烟。下片挽留不走。

这首词写景富于诗的联想，如首句使人想起杜甫的诗句："焉得并州快剪刀，剪取吴淞半江水。"（《戏题王宰画山水图歌》）第二句使人想起李白的诗句：“玉盘杨梅为君设，吴盐如花皎如雪。”（《梁园吟》）这就为全词创造出了诗的气氛，净化、美化了要写的事件和人物。下面的几句描写，同这种气氛是完全和谐一致的。下片只写女子的几句话，真是温情脉脉，体贴入微，一副温文尔雅的姿态。我们知道，照当时的习俗，这女子只是一个有名的歌伎，宋徽宗还幸其家，但她的形象被描绘成出污泥而不染的白莲。这就是艺术的升华作用。

玉楼春

桃溪不作从容住，秋藕绝来无续处。当时相候赤阑桥，今日独寻黄叶路。　　烟中列岫青无数，雁背夕阳红欲暮。人如风后入江云，情似雨余粘地絮。

关于桃溪，先给你们讲一个故事吧。刘晨和阮肇两个人同到天台山游玩，山上有桃花，山下有溪水，风景是很美丽的。他们看到溪边有两位美貌女郎，交谈后，他们在山上住了半年，才下山回去。到了家乡，房屋完全变样了，原来的亲友，一个也找不到了。好不容易才找到一位七世孙，才知道传说他们上山以后迷了路，一直没有再回来，人们以为他们早死了。（刘义庆：《幽明录》）有些书虽然把这首词题为《天台》，但看内容并不是咏天台这段故事，而是写自己的生活。

首句桃溪并非地名，只是借用这个故事，写曾与情人同住的地方，全句意思是没有在这个地方从容久住。第二句以秋藕绝比喻二人关系断了，不是像俗语所说，藕断丝连，而是无续处了。第三句与第一句联，回忆在桥上等候相会，赤色的阑干，使人感到欢乐。第四句与第二句联，写目前，只能独寻了，黄叶自然表示秋，也有凄凉的意思。但《绝妙词选》第三句作“当时无奈鸟声哀”，那就二三四句连成一气，都表示凄凉了。

下片前两句接着写景，也就是独寻所见，为末两句抒情做了准备。看到的是烟霞中无数青山，欲暮的红日下一群飞雁。这使读者会想到：“平芜尽处是青山，行人更在青山外。”“鸿雁在云鱼在水，惆怅此情难寄。”末两句写昔日的情人像云一样被风吹走不见了，自己呢？心情却像雨后粘在地上的柳絮了。

全词（八句，每两句均对衬）结构工整而灵活，用词的对比（赤阑桥、黄叶路、列岫青、夕阳红）也极精巧，文学联想尤使内涵丰富多彩。

夜游宫

叶下斜阳照水，卷轻浪，沉沉千里。桥上酸风射眸子，立多时，看黄昏，灯火市。　　古屋寒窗底，听几片、井桐飞坠。不恋单衾再三起，有谁知、为萧娘、书一纸。

上片写景及黄昏时活动：树叶下斜阳照耀着水面，细浪滚滚千里，人立在桥上看黄昏时的城市灯火。酸风射眸子的滋味，没有经验过是写不出的，我确知这个细节写得十分真实，增加了亲切感。下片写夜间听梧桐落叶，不眠的心情就表达出来了，末句说出原因，原来因为情人（萧娘泛称）没有来信。

鹤冲天

梅雨霁，暑风和，高柳乱蝉多。小园台榭远池波，鱼戏动新荷。　　薄纱厨，轻羽扇，枕冷簟凉深院。此时情绪此时天，无事小神仙。

天气清和，亭园幽静，蝉鸣柳杪，鱼戏新荷，枕冷席凉，手摇羽扇，真是神仙境界。

苏幕遮

燎沉香，消溽暑。鸟雀呼晴，侵晓窥檐语。叶上初阳干宿雨，水面清圆，一一风荷举。　　故乡遥，何日去？家住吴门，久作长安旅。五月渔郎相忆否？小楫轻舟，梦入芙蓉浦。

词写乡思。沉香，一种香木材，燃烧发出香味。溽暑，潮湿而炎热。三四句写仿佛鸟雀破晓时在檐下鸣叫，也欢呼天晴了。下面写初出太阳已使叶上昨夜的雨干了，池水清澈，荷花在风中直立起来了。下片描写乡愁。作者是钱塘人，家在旧吴国属地，今浙江省。长安借指都城汴京。渔郎，以前一同垂钓的伴侣，现在还记着我吗？我还做梦，乘着小船在荷花塘里游玩呢。

点绛唇

台上披襟，快风一瞬收残雨。柳丝轻举，蛛网粘飞絮。

极目平芜，应是春归处。愁凝伫。楚歌声苦，村落黄昏鼓。

惜春归去，主要以景表情。末插入一个细节，同愁怀不展，久久站在那里，向青草平原远处看望，寻觅春的归处，还是和谐一致的。

李新（生卒年代不详）

仙井（今四川仁寿）人。元祐三年（1088）进士。

临江仙

杨柳梢头春色重，紫骝嘶入残花。香风满面日西斜。只知闲信马，不觉误随车。　　已许洞天归路晚，空劳眼惜眉怜。几回偷为掷花钿。今生应已过，重结后来缘。

紫骝，骑的紫色马。上片写让马信步前跑，没有追随女子的车。下片说女子虽眉目传情，自己也抛去发上装饰品，都已无用，只好期待再生缘分了。

鲁迅先生写过一篇《唐朝的钉梢》，说唐代词人张泌所写一首《浣溪沙》，实际就是上海当代所谓钉梢的情况。我为你们选讲了这首词，不过想使你们了解一点时代的生活方式和习惯，对了解文艺有点用处。上面李新这首词写的实际也就是这个内容，可见宋朝也此风不改。我曾经给你们说过，以前历代都有宿娼恶习，宋词所写的女子多为歌妓，但这些时代的牺牲者有比较高的文化修养，能歌善舞，往往也有很好的品格，如周邦彦在《少年游》中所写。我们不读宋词则已，读就难免要读些此类作品。

我们读这类文学作品，第一要严格把它们同色情下流的文字分开。第二要对爱情持净观态度，认为是人性中纯洁而正当的感情。第三要从自己做起，使两性交际有正当的道德规范，文雅的方式，健康的身心几方面的平衡发展，进而改进社会风气。

浣溪沙

雨霁笼山碧破赊，小园围屋粉墙斜，朱门闲掩那人家。
素腕拨香临宝砌，层波窥客擘轻纱。隔窗隐隐见簪花。

上片写“那人家”：雨霁山碧，歪斜粉墙围着有小园的房屋，红漆门掩闭着。下片写“那人”：站在台阶上以手拨花，眼睛看着外面的人，从窗外隐隐约约可以看见她在向头发里插花。

曹组　（1125 年左右在世）

阳翟（今属河南）人。宣和三年（1121）进士。他的词在北宋末很流行，但他的《箕颍集》已佚，现尚有辑本《箕颍词》。

卜算子

兰

修竹翠萝寒，迟日江山暮。幽径无人独自芳，此恨凭谁诉？　似共梅花语，尚有寻芳侣。著意闻时不肯香，香在无心处。

这首词又见辛弃疾的《稼轩词》。但“凭谁诉”作“知无数”；“似”作“只”；“尚有寻芳侣”作“懒逐游丝去”；“闻时”作“寻春”；“无心处”作“无寻处”。兰花往往生于幽谷，自开自谢，无人观赏，向谁诉说这种恨事呢？下片说兰似向梅花诉说，它还有人去寻访呢，不像自己寂寞。这使人想到杜甫的诗句："巡檐索共梅花笑。"着意，有意闻不到香，无心却闻到香味，也就是"无人独自芳"的意思。

品令

乍寂寞，帘栊静，夜久寒生罗幕。窗儿外、有个梧桐树，早一叶、两叶落。　　独倚屏山欲寐，月转惊飞乌鹊。促织儿、声响虽不大，敢教贤、睡不着。

刚刚感觉到寂寞，又室静寒生，窗外梧桐落叶报秋，自然寂寞之感就加深了。独自倚靠着屏风想睡，月移惊飞乌鹊，自然睡不着了。何况促织鸣声虽小，正闹得您（贤，第二人之敬称）睡不着觉。把不眠寂寞感逐步加深，写得十分自然。

苏过 （1072—1123）

苏轼之子，时称小坡，自号斜川居士。

点绛唇

新月娟娟，夜寒江静山衔斗。起来搔首，梅影横窗瘦。好个霜天，闲却传杯手。君知否，乱鸦啼后，归兴浓于酒。

关于这首词的作者是有争论的，这种情形常有，我们无法细究，只好认定一人。首两句写景极佳，写到了月色、江水、天气、山和北斗，山衔斗就是北斗星紧紧靠着山峰，斗像勺子，仿佛山把它衔在嘴里一样。起来搔首，使人有寂寞凄清之感，梅影横穿，就把这种感情形象地深化了。下片头两句写在这样好天气，却没有人共饮消愁，是寂寞之感又深入了一层。乱鸦啼即使没有什么言外的含意，也够使人心绪乱糟糟的了。若作者果为苏轼之子，在轼因政治关系而文章被禁的时候，乱鸦啼也可有政争议论纷纷的含意。末句不如归去的意思是很显然的。周笃文选注的《宋百家词选》定此词作者为汪藻，乱鸦句讽刺攻击作者的论客。

万俟咏 （生卒年代不详）

他的姓读音是万俟〔读末其（mò qí）〕，名咏，字雅言，号词隐。黄庭坚（山谷）称他为一代词人，但他的《大声集》已佚，仅存词27首。

诉衷情

一鞭清晓喜还家，宿醉困流霞。夜来小雨新霁，双燕舞风斜。　　山不尽，水无涯，望中赊。送春滋味，念远情怀，分付杨花。

清早骑马挥鞭，为还家感到高兴，回叙前夜因为高兴，饮酒（流霞为酒的泛称）醉了。三四句写清早路上所见景色：夜雨初晴，燕子双双在风中飞舞，这同他的欢乐心情是一致的，写景也就有抒情的意味了。下片前三句写途中山多水阔，眼中路途遥远，是写途中很艰苦。赊字是遥远的意思，李白的《扶风豪士歌》中就有这样两句诗：“我亦东奔向吴国，浮云四塞道路赊。”这样插叙一下途中艰苦，就使末三句所表现的欢乐深化了。送春滋味，念远情怀，都是凄苦的，但现在都不在话下，交付给柳絮，随风吹散了。

宋词写伤春念远，离愁别恨的很多，芭蕉梧桐夜雨几乎已成了滥调，像这首写归家之乐的词是很少的，所以很新奇可喜。

长相思

雨

一声声，一更更，窗外芭蕉窗里灯，此时无限情。
梦难成，恨难平，不道愁人不喜听，空阶滴到明。

诗人总是敏感的，自然界的声音往往容易引起不同的情绪。这首词文字浅显，听雨引愁，也没有新奇的地方。我选给你们读一读，意在引起你们的兴趣，对自然界的现象多注意，从中得到美感，丰富生活经验。我们选读的诗词中，写到雨的不少，你们加以比较，不也是很有趣味的吗？

王庭珪　（1079—1171）

安福人，政和八年（1118）进士。胡铨上疏乞斩秦桧，谪往新州，庭珪以诗送行，也获罪。桧死始获自由。

浣溪沙

薄薄春衫簇绮霞，画檐晨起见栖鸦。宿妆仍拾落梅花。

回首高楼闻笑语，倚阑红袖卷轻纱。玉肌微减旧时些。

早起穿着薄薄春衫，看到天上绮霞，画檐下尚有栖鸦。拾起落地梅花聊以自遣。听到高楼中笑语声，回头一看，那女郎正倚阑卷帘，看到她肌肤比以前稍稍瘦了些了。

朱敦儒 （1081—1159）

洛阳人。早年隐居山林，自称“疏狂”，“几曾着眼看侯王”（见所作《鹧鸪天》），但又应征诏出任官职。因与主战派李光有联系，又被罢官。秦桧当政，罗致他文饰太平，桧死又被废。他的词有时脱离现实，有时也表现忧国热情。

双鸂鶒

拂破秋江烟碧，一对双飞鸂鶒；应是远来无力，稍下相偎沙碛。　　小艇谁吹横笛，惊起不知消息。悔不当时描得，如今何处寻觅？

鸂鶒〔读溪斥（xī chì）〕，水鸟，比鸳鸯稍大，多为紫色，亦成对在水面浮游，故又称紫鸳鸯。上片写一对鸂鶒，双双冲破江上碧烟飞来。大概因为来自远方，没有力气了，下落到浅水的沙石上相偎休息。有什么人在小船上吹笛，把一对鸟惊动，不知飞到什么地方去了。悔不该当时没把它们描绘下来，现在到哪儿去寻找呢？写景抒情都恰到好处。一幅双飞双栖、同生共死的紫鸳鸯画实际上已经描绘出来了。

相见欢

金陵城上西楼，倚清秋。万里夕阳垂地，大江流。
中原乱，簪缨散，几时收？试倩悲风吹泪，过扬州。

首句写在金陵城楼上观看秋景，第三句即写看到的情况：万里广阔地面上，夕阳已经落近地平线，长江从地面上流过。下片写中原被金兵侵占，乱了，贵族官吏（簪缨）走散了，几时能收复呢？试请（倩）悲风把我的眼泪吹送到扬州去吧。扬州地区在汴京失陷后，被金兵破坏惨重。

李清照　（1084—约1151）

号易安居士。齐州章丘（今山东章丘西北）人。嫁金石名家赵明诚，前期生活美满。金兵入侵，宋南渡，丈夫又以暴疾亡故，使她受了很大打击。她逃兵乱，走遍了江浙皖赣一带地方，晚年寓居临安。文集词集均已遗失。后人辑为现在流行的《漱玉词》。

如梦令

常记溪亭日暮，沉醉不知归路。兴尽晚回舟，误入藕花深处。争渡，争渡，惊起一滩鸥鹭。

这首词写了作者的生活情趣和潇洒风度，记的是醉酒乘舟游玩的小事。头两句写乘舟的时间和地点，因醉忘了归路。但游兴仍浓，不肯败兴回舟，于是闯了一个小小乱子，船划到荷花深处去了。但仍然划船前进，把一滩海鸥和鹭惊动飞起来了。

如梦令

昨夜雨疏风骤，浓睡不消残酒。试问卷帘人，却道海棠依旧。知否？知否？应是绿肥红瘦。

这首词写惜春伤春的感情，文字浅显，但却深刻生动。风雨之夜，虽然睡得很香，酒意却未消，也就是借酒消的愁还梗在心头。想到海棠或者被风雨摧残凋谢，但又怕自己亲看，徒增春去之伤感，便试着问一问卷帘的侍女，她却回答说海棠依旧，显然她是并不关心的。所以作者反问她：知道吗？海棠经过风雨，该是叶多花少了。我把“绿肥红瘦”给你们这样一解释，可就是化神奇为腐朽了。“绿、红”代表叶和花，“肥、瘦”代表多少或鲜谢——“绿肥红瘦”令多少人叫绝，并不是偶然的了。

一剪梅

红藕香残玉簟秋，轻解罗裳，独上兰舟。云中谁寄锦书来，雁字回时，月满西楼。　　花自飘零水自流，一种相思，两处闲愁。此情无计可消除，才下眉头，却上心头。

这首词是怀念丈夫的。前三句可以穿起来这样理解：独自登上兰舟，把罗裳轻轻解开，觉得洁白的竹席有秋天的寒意，看到红藕（即红藕花或红荷花）已经残谢了。夫妻间的书信常称锦书，见到雁行，想到雁是可能捎了丈夫的信来，并非真的来信了，下句雁字指雁在天空排的字。下片的花指首句的红藕花，水是兰舟在其中前进的水。两地指与丈夫分居两地，但同样相思愁闷。末三句也就是范仲淹的《御街行》中几句的意思："都来此事。眉间心上，无计相回避。"

醉花阴

薄雾浓云愁永昼，瑞脑消金兽。佳节又重阳，玉枕纱厨，半夜凉初透。　　东篱把酒黄昏后，有暗香盈袖。莫道不销魂，帘卷西风，人比黄花瘦。

这首词写重阳佳节。一般逢此佳节，多外出登高游玩，而作者把天气形容为"薄雾浓云"，并不晴朗，又"愁永昼"，不知道长长的白天如何消磨。时时在兽形的熏香炉里添香料（瑞脑），就是一种具体的表现。虽未明说，"每逢佳节倍思亲"，有思夫情绪是很显然的。下三句既点明佳节，又写半夜觉凉的不眠情况，纱厨是蒙有细纱以避蚊的床。下片写黄昏后，曾在东篱饮酒，因为陶潜在《饮酒》中有“采菊东篱下”句，所以是在赏菊花自遣。古诗有句：“馨香盈怀袖，路远莫致之”，所以更可见有怀远的意思了。末句“人比黄花瘦”，自己因怀远而憔悴的情况就被很形象地巧妙地写出了。以前曾有人指出：“人比黄花瘦”是从无名氏的词句“依旧，依旧，人与绿杨俱瘦”脱出，但更为工妙。

我给你们讲一个有趣的故事。李清照把这首词寄给她的丈夫赵明诚，明诚自愧不如妻子写得这样好，便关起门来，用三天三夜写了50首词，并将清照的这一首混杂其中，送给友人陆德夫看。德夫吟咏了半天，说道：“只有三句绝佳。”明诚问是哪三句，德夫答道：“莫道不销魂，帘卷西风，人比黄花瘦。”

凤凰台上忆吹箫

香冷金猊，被翻红浪，起来慵自梳头。任宝奁尘满，日上帘钩。生怕离怀别苦，多少事，欲说还休。新来瘦，非干病酒，不是悲秋。　　休休。这回去也，千万遍阳关，也则难留。念武陵人远，烟锁秦楼。惟有楼前流水，应念我，终日凝眸。凝眸处，从今又添一段新愁。

金猊，形如狮子的涂金熏炉，内可焚香，味从兽口出来，以熏衣被，第二句即写熏被情况。起来懒梳头，不为宝奁拂尘，日照到帘钩才起来，都是怕离怀别苦的具体表现。多少事包括以前游乐欢聚时的快乐，不肯谈说，是怕更增别苦。下三句说自己近来瘦了，但既不因为病酒，也不因为悲秋，自然是为离愁别苦了。休休，现在口语“罢了，罢了”。阳关（曲），王维《送元二使安西》的别名，此句意思是把阳关曲唱千遍万遍，也留不住要走的人了。武陵人，涉及陶潜的《桃花源记》，又涉及刘晨和阮肇二人游天台山，遇二仙女的传说。我们已经简单地说过，现在还说说故事，以便你们了解吧。武陵是地名，在今湖南，陶文说那里有个渔父，无意到了桃花源，一个与世隔绝的仙境，实际是他的乌托邦即理想国。这里写到桃花、流水、仙境，宋词人就把桃源的幻境和天台山的神话联系起来了，所以这里的武陵人所用的就是这两个典故，用武陵人指所怀念的丈夫。秦楼，可指我们已经略讲过的弄玉的故事：她从萧史学吹箫，学成两人化为神仙，骑凤飞走了。这样，作者就是以弄玉自比，现在是人去楼空了。另外，汉乐府《陌上桑》有这样两句：“日出东南隅，照我秦氏楼。”那就以罗敷自比了。简单地说，这两句只是说：丈夫远去，现在是自己独守空楼了，意思固然明白，可就不是文学作品了。顺便说一下，文学作品用僻典，晦涩使人难懂，是很不好的。但用典或传说故事引起丰富的联想，却是增加艺术魅力的必要方法之一。

最后几句的凝眸，就是定睛远望，这时不仅自己“念”着远去的人，流水也在“念”我凝眸远望的愁苦，这就在人去前的愁苦上，加上人去后的新愁了。

点绛唇

寂寞深闺，柔肠一寸愁千缕。惜春春去，几点催花雨。

倚遍阑干，只是无情绪。人何处？连天芳草，望断归来路。

从上片看，仿佛侧重在惜春春去。但是头两句可以看出，寂寞和愁肠千缕，隐示春去远不如人去，更引起内心的寂寞。下片前两句已经含蓄点明。人何处，就明说出来了，但这种错综写法并不减低艺术效果。望断归来路，所见的只是天涯芳草，又偏向含蓄的写法了。

武陵春

风住尘香花已尽，日晚倦梳头。物是人非事事休，欲语泪先流。　　闻说双溪春尚好，也拟泛轻舟；只恐双溪舴艋舟，载不动、许多愁。

这首词是作者晚年避兵金华时写的，首句写落花已满地，尘土留有残香，风止了，这时确是定了全词情调。“物是人非事事休”了，宋只剩了半壁江山，自己已经家破人亡了。双溪，金华有永康、东阳二水，合流处称双溪。舴艋是小船，有时赛龙舟时使用。想去泛舟消愁，又怕愁太重，船载不动。把愁化为具体的东西，有重量，船载不动，这种形象化的艺术手法，值得玩味。

声声慢

寻寻觅觅，冷冷清清，凄凄惨惨戚戚。乍暖还寒时候，最难将息。三杯两盏淡酒，怎敌他、晓来风急！雁过也，正伤心，却是旧时相识。　　满地黄花堆积，憔悴损，如今有谁堪摘？守着窗儿，独自怎生得黑！梧桐更兼细雨，到黄昏点点滴滴。这次第，怎一个愁字了得。

这词开始的寻寻觅觅……惨惨戚戚，称为叠字。都暗含本意，并有声调美。寻寻觅觅，表示若有所失的心情，寻觅可照本意理解；寻觅到的只是下面一连串的叠字所表达的情绪：寂寞、凄清、悲伤、愁苦。词写的是秋天，不像夏天总是热，冬天总是冷，所以乍暖还寒，我们不是常听说，二四八月乱穿衣吗？将息，意为调养、休息，指安排衣着等生活细事，言外也有不好安排自己的意思。下面“晓来”比晚来较妥，因为写一天的事，饮酒大概指习惯的早酒。雁足传书，诗词中常常写到，实际只代表通信的意思，说雁是旧时相识，看得不能太拘泥，似只代表旧时曾与丈夫通音信，这时他已亡故，见雁伤心，只是因为回忆往事。下片写菊花的三句，既有自伤“人比黄花瘦”的感慨，也有悼亡的含意。守着两句，无论怎样标点，自以“独自守着窗儿，怎生得黑？”为是。这次第，这光景。

永遇乐

落日镕金，暮云合璧，人在何处？染柳烟浓，吹梅笛怨，春意知几许！元宵佳节，融和天气，次第岂无风雨？来相召，香车宝马，谢他酒朋诗侣。　　中州盛日，闺门多暇，记得偏重三五。铺翠冠儿，捻金雪柳，簇带争济楚。如今憔悴，风鬟霜鬓，怕见夜间出去。不如向、帘儿底下，听人笑语。

这首词是李清照经过离乱流落之后，住在临安，过着寂寞清贫的晚年时写的。头两句写目前景物：下落的太阳金光闪烁，晚霞普照黄昏时天空。第三句问得突然，虽然身在临安，却又茫然不知身在何处，有流落异乡，身心寂寞之感。下三句写春意：初发的柳被烟雾笼罩着，似乎柳色被染浓了，又有笛声吹着《梅花落》曲，正是春意阑珊的时候。现在是元宵佳节，天气融和，但是在一个饱经沧桑的人，不免心怀疑惧：不会突然刮风下雨吗？因此虽然有些富贵人家妇女坐着香车，骑着骏马，来邀请自己去饮酒赋诗，也只好谢绝了。下片前六句回想汴京沦陷前的元宵节盛况和自己的欢快生活。中州盛日，指宋繁荣时代；自己在深闺中过着安逸的生活，有的是闲暇时间，最重视元宵佳节。那时候自己打扮得漂漂亮亮：头上戴着翡翠（或用翠鸟羽毛装饰的）冠，还佩着适合时令的金线捻合的妆饰品；簇带，意为插戴；济楚，意为端庄。如今憔悴三句说如今的情况：形容憔悴，鬓发已白而不整，懒得夜间出去了。末言倒不如自己躲在帘下，听别人的笑语了。结句语浅情深，含着无限凄凉悲苦之感。

渔家傲

天接云涛连晓雾，星河欲转千帆舞。仿佛梦魂归帝所，闻天语，殷勤问我归何处？　　我报路长嗟日暮，学诗漫有惊人句。九万里风鹏正举，风休住，蓬舟吹取三山去。

天破晓时，波涛似的云同早晨的雾连成一片，满布天空，形成海天一色的美景：银河转动，群星闪光，仿佛小船上千帆飞舞。这是梦中所见的景象。梦魂似乎回到了天宫（帝所），听到天帝殷勤问我要到什么地方去。下片我答道路太长，可叹天色已晚，而学诗徒有惊人之句，既不为人赏识，也不能满足自己的要求，还要继续努力。

我原只想给你们讲一点启蒙的知识，大意懂得所选的词就可以了，深讲我也没有足够的学力。不过有些诗词富有文学联想，完全抛开不提，就不免有点干巴巴的，失去艺术的韵味了。因此我把下片几处略多讲几句，你们就当故事听听吧。

“路长日暮”两句使人想起屈原的《离骚》中有这样几句：“欲稍留此灵琐兮，日忽忽其将暮。……路漫漫其修远兮，吾将上下而求索。”也是叹惜日暮路远，但仍要努力上下求索。（灵琐，神仙所住的楼阁，琐是门上所雕刻的花纹。忽忽，形容时光过去得很快。漫漫，形容路远。上下求索，努力追求。）

“九万里风鹏正举”（举，高飞）——庄子在《逍遥游》中说，大鹏“抟扶摇而上者九万里”，（扶摇是旋风）就是在旋风里上飞九万里。这表示作者有雄心壮志，自强不息。风休住两句是请风不要息，把自己的一叶扁舟，吹到三山，即神话中的蓬莱、方丈、瀛洲三座神山。

李清照被认为是婉约派的作家，但这首词风格特异，所以梁启超说，此词不像李清照《漱玉集》里的句子，而像苏轼、辛弃疾的风格。

吕本中（1084—1145）

寿州（治今安徽凤台）人，世称东莱先生。绍兴六年（1136）进士。他赞成收复失土，曾上书提出这个主张，因此得罪秦桧，被罢了官。诗不如词。

采桑子

恨君不如江楼月，南北东西，南北东西，只有相随无别离。　恨君却似江楼月，暂满还亏，暂满还亏，待得团圆是几时？

这首词以月亮做比喻，从正反两方面抒写离恨的感情。上片写恨外出的人不像月亮一样，总照着人，从不离开，而是不分东西南北，四处乱跑。下片又写恨外出的人像月亮似的，圆满的时候少，亏缺的时候多，几时才能团圆呢？比喻摆脱俗套，正反对比，写得极为新颖、明畅，富有民歌风味。

南歌子

驿路侵斜月，溪桥度晓霜。短篱残菊一枝黄，正是乱山深处，过重阳。　　旅枕元无梦，寒更每自长。只言江左好风光，不道中原归思，转凄凉。

这首词写重阳节在辛苦的旅途中，思乡忧国的感情。斜月照着驿站的道路，小溪的桥上还有早霜，这固然使人想到“鸡声茅店月，人迹板桥霜”的景色；但从下面几句和全词看，作者要表现的是清早赶路的辛苦。时值重阳佳节，而作者在乱山深处，只见到低矮篱笆旁有一株残菊！下片的感情更深入了：睡在旅店的枕头上，很难入睡，原是无梦可作的，何况寒夜的更声使人感觉到夜更长呢。人人只说江左（指南宋偏安的东南地区）风光很好，却不提怀念中原，即毫无收复失土的意思，这就使人特别感到凄凉了。

向子諲 （1085—1152）

临江（今江西清江）人。宋南渡后，力主抗金，曾率兵抗击金人的入侵。后受秦桧排挤，归清江芗林，自号芗林居士，即在那里逝世。他把自己的词分成“江南新词”和“江北旧词”两卷，可见南渡后的心情。

鹧鸪天

有怀京师上元

紫禁烟花一万重，鳌山宫阙倚晴空。玉皇端拱彤云上，人物嬉游陆海中。　　星转斗，驾回龙。五侯池馆醉春风。而今白发三千丈，愁对寒灯数点红。

词回忆汴京上元节盛况，以后中原沦陷，宋南渡，作者便愁对寒灯，“白发三千丈”（李白《秋浦歌》中诗句）了。首句禁城即指汴京，烟花一万重，指灯火盛况。鳌山是指当时堆叠彩灯而成的山，在汴京宣德门。上元节约二更鼓，皇帝坐小辇去观赏那里的千万种彩灯，灯光照耀着宫殿，高耸在空中。玉皇，指徽宗赵佶，拱手端坐在红色祥云上面。很多人在陆海上游玩（地上物产丰富如大海所产一样多，所以称陆海）。

下片续写夜已晚，“北斗阑干南斗斜”了，皇帝回宫了。五侯，原为后汉桓帝一天所封的五个宦官，这里指权贵人家，还在饮酒作乐。结尾两句突然一转，是中原沦陷，宋室南迁的残破局面了。两相对照，显得结句特别有力。

生查子

近似月当怀，远似花藏露。好是月圆时，同游花深处。
看花不自持，对月空相顾。愿学月频圆，莫作花飞去。

头两句从近看和远看形容所爱的女子。次两句写月圆时同游的乐趣。但下片表明看花时虽自己倾心，对方却没有相同的反应。末两句表示希望。

蒋兴祖女儿 （生卒年代不详）

宜兴（今属江苏）人，不知其名。靖康二年（1127），金兵攻陷北宋都城汴京，徽、钦二帝被掳。但各地仍有抗金战争，阳武（今河南原阳）令蒋兴祖在金兵围困时，坚决抵抗，自己同妻儿都牺牲了，女儿（下词作者）被掳，下面的词是她在雄州（今河北雄县）驿站墙上写的。

减字木兰花

朝云横度，辘辘车声如水去。白草黄沙，月照孤村三两家。　　飞鸿过也，百结愁肠无昼夜。渐近燕山，回首乡关归路难。

首句写明是早晨多云的阴天，第二句写所坐的囚车，辘辘为车声，如水去，是形容车行速而路远。白草两句写车中所见荒凉景象。写景也就表现了作者内心悲伤凄凉。上片写了早晨、白天、夜晚。雁是候鸟，这时应是从北向南飞了，而人却是由南向北，渐近燕山，也就是离敌人的都城大都（今北京市）越来越近了。回首故乡，欲归无路，就昼夜愁肠百结，悲伤没有完结的时候了。

弱龄女子遭此浩劫，其事其词，都令人痛心。腐败无能的统治者是祸根，尤令人切齿！

陈东 （1086—1127）

丹阳（今江苏省镇江）人。以贡入太学，钦宗时曾上书请杀蔡京（主和派的坏人之一），以后又上书请用李纲（主张抗金，在金兵围攻汴京时，反对迁都）。高宗时，又劾黄潜善、汪伯彦，为二人所构陷，被杀。

西江月

我笑牛郎织女，一年一度相逢。欢情尽逐晓云空，愁损舞鸾歌凤。　　牛女而今笑我，七年独卧西风。西风还解过江东，为报佳期入梦。

牛郎织女七夕相会的故事，你们是熟悉的了。这首小词颇有风趣，上片写牛郎织女一年只相会一夜，第二天就欢情烟消云散了，自己笑他们。下片写牛郎织女该笑自己了，因为七年离家不能一聚。末两句有自我解嘲意味，说西风还会到故里入梦，报告佳期。

蔡伸 （1088—1156）

莆田（今属福建）人，蔡襄之孙。政和五年（1115）进士。

长相思

村姑儿，红袖衣，初发黄梅插稻时，双双女伴随。
长歌诗，短歌诗，歌里真情恨别离，休言伊不知。

儿，读倪（ní），是儿字的古音。初发黄梅，梅子初黄时。她虽然是年岁不大的村姑，对长歌短歌的真情，在歌唱时是了解的：抒写的是离愁别恨。

长相思

我心坚，你心坚，各自心坚石也穿。谁言相见难？
小窗前，月婵娟。玉困花柔并枕眠。今宵人月圆。

这首词说，只要两人爱情坚定，连石头也可以穿破，也就是说，可以克服一切困难阻碍，有情人终成眷属，得到花好月圆的结果。以上这两首词都颇有民歌趣味。

陈与义　（1090—1139）

字去非，号简斋，洛阳人。登政和三年（1113）上舍甲科，曾为太学博士。高宗南迁后，曾避乱湖广，后为兵部员外郎。以诗名，有《简斋集》，为宋诗重要人物。也工于写词，有《无住词》一卷。

临江仙

夜登小阁，忆洛中旧游

忆昔午桥桥上饮，坐中多是豪英。长沟流月去无声，杏花疏影里，吹笛到天明。　　二十余年如一梦，此身虽在堪惊。闲登小阁看新晴，古今多少事，渔唱起三更。

午桥，洛阳南的一座桥，是旧游的地点，当时一同宴饮的人都是出色的人物。下三句具体写当时游乐情况。下片写20多年的时光过去了，自己还生活在人间，不免令人惊异，言外哀同游的人多已谢世了。末三句点明夜登小阁，夜深听到渔歌，古今多少事引人满腔感慨。

张元幹 （1091—约 1170）

长乐（今属福建）人，向子湮之甥。他很有文才，徽宗末年即以词名，感时抒情之作，慷慨激昂，下面一词可略见他的为人风格。

贺新郎

送胡邦衡待制赴新州

梦绕神州路，怅秋风，连营画角，故宫离黍。底事昆仑倾砥柱，九地黄流乱注？聚万落千村狐兔。天意从来高难问，况人情老易悲难诉。更南浦，送君去。　　凉生岸柳催残暑。耿斜河，疏星淡月，断云微度。万里江山知何处？回首对床夜语。雁不到，书成谁与？目尽青天怀今古，肯儿曹恩怨相尔汝？举大白，听金缕。

胡邦衡即胡铨，主抗金反和，曾请斩秦桧等三个主和投降派，因被谪新州（今广东新兴县）。张元幹仗义写词送别，并在词中指责了皇帝（天意从来高难问），是很钦佩的。

神州，中国的古称，这时已大部被金侵占，梦绕是念念不忘的意思。连营两句是想象的情况：金军各营的军号（画角，彩绘的号角）声响成一片，宋的故宫已经长满了庄稼（黍是小米）。这里用“黍离”来形容是很恰当的。按“黍离”是《诗经》中的篇名，幽王无道，犬戎破镐京被杀死，平王东迁洛阳，为东周。东周初年有人去镐，见到宫殿破坏，长了庄稼，不胜感慨，因做此诗。底事三句的意思是：支持昆仑的天柱为什么倒了呢？九州（九地）遍地黄河水横流，千村万落都成了狐兔（也指敌人）聚居的地方了：写沦陷区的情况。下面说天意难测，即不知皇帝有什么意图，易悲的老人难诉苦衷。何况又要到南浦（泛指送别的地方）送你走！

下片写岸上杨柳生凉，炎暑即将过去。明亮的银河斜挂天际，片片的云从天空飘浮过去。此后相隔万里河山，何处寻觅？下句回忆以前对床夜话的情形，也意味着以后会追忆今夜对谈。远处雁也难到，书信也无法寄了。下两句大意是：放眼看天下，关怀今古大事，怎能像小儿女一样，悲伤叹息，难舍难分呢？（韩愈：《听颖师弹琴》诗中有这两句：呢呢儿女语，恩怨相尔汝。）末两句举酒杯（大白），歌《金缕曲》

（《贺新郎》的别名），是无可奈何中的安慰鼓励话。

菩萨蛮

政和壬辰东都作

黄莺啼破纱窗晓，兰缸一点窥人小。春浅锦屏寒，麝煤金博山。　梦回无处觅，细雨梨花湿。正是踏青时，眼前偏少伊。

政和壬辰是政和二年即公元1112年，是北宋徽宗赵佶时代。东都指洛阳。破晓时黄莺在纱窗外鸣叫，灯（兰缸）照着人，只有一点点微光了。初春天还寒，屏风还是冷冷的，博山炉里还燃着香料。梦醒了，梦境已经消逝，小雨湿润着梨花。正是踏青的好时候，伊人却不在眼前。从这首小词略可见作者风格的另外一面。

岳飞　（1103—1142）

相州汤阴（今属河南）人。北宋末期以“敢战士”应募入伍，在金兵南侵时，屡立战功。他反对和议，力主北伐，为秦桧所陷杀。

满江红

怒发冲冠，凭栏处，潇潇雨歇。抬望眼，仰天长啸，壮怀激烈。三十功名尘与土，八千里路云和月。莫等闲、白了少年头，空悲切。　　靖康耻，犹未雪；臣子恨，何时灭？驾长车、踏破贺兰山缺。壮志饥餐胡虏肉，笑谈渴饮匈奴血。待从头、收拾旧山河，朝天阙。

怒发冲冠，生气的头发竟将帽子冲掉了。长啸，高声大叫，也表示怒。尘与土，表示30岁所立的战功微不足道，只等于尘土。下句说为打仗在不同天气，不分日夜，在广大地区奔波。下一句自勉不要轻易浪费少年时光，“老大徒悲伤”。靖康（北宋年号）二年

(1127)，金兵攻陷汴京，掳徽、钦二帝以去，此耻未雪，臣子饮恨。长车即长缨，古代战车；贺兰山，又名阿拉善山，当时是金兵侵占的地方，现为宁夏回族自治区和内蒙古自治区的界山。胡和匈奴都借指金兵。这两句只表示对敌仇恨之深。末两句说胜利后，重整河山，进都城朝拜皇帝。

这首声情壮烈的词在抗日战争期间为广大人民所传诵，不是偶然的。

满江红

遥望中原，荒烟外，许多城郭。想当年，花遮柳护，凤楼龙阁。万岁山前珠翠绕，蓬壶殿里笙歌作。到而今、铁骑满郊畿，风尘恶。　　兵安在？膏锋锷；民安在？填沟壑。叹江山如故，千村寥落。何日请缨提劲旅，一鞭直渡清河洛！却归来、再续汉阳游，骑黄鹤。

先给你们讲点词外的话，你们就当故事听听吧。此词原为岳飞墨书手迹，被收入《五千年来中华民族爱国魂》，后被收入《全宋词》。前一首《满江红》作者是否确为岳飞，还有不同意见，但确是一首杰作，对振奋民族精神，起过并还起着很大作用，却是大家一致认可的。第二首《满江红》是姊妹篇，精神是完全一致的。

词的时代背景也要略说几句。宋高宗绍兴三年（1133）秋天，金统治集团支持叛将李成进占襄阳、唐、邓、随、郢诸州。第二年岳飞奉命率兵进讨李成，收复了六郡，屯兵鄂州（今湖北武昌）。岳飞上书奏请“以精兵二十万，直捣中原，收复故疆”，但未能实现。这首词可能是登黄鹤楼时有所感而写，因为词末提到汉阳黄鹤。黄鹤楼在汉阳长江岸上，传说有人从此骑鹤成仙而去，是你们早已知道的了。

词的头三句写登楼遥望，见到一片寒烟，笼罩着广阔城乡土地，景象十分凄凉。下五句回想以前的繁荣局面：到处是花和柳，风景秀丽，楼台亭阁，备极豪华。万寿山即是灵岳，徽宗时所建御园假山，珠翠绕，形容装饰得华丽。蓬壶殿或指北宋汴京皇宫内的蓬莱殿。可是目前呢？敌军的铁蹄践踏遍了京城及郊区，情况是很险恶的。下片先哀叹兵士血染敌人刀剑，人民填了沟壑。河山未改变，但村落荒废了。末几句表明作者想报仇复国，重整河山，重游汉阳的雄心壮志。请缨，自愿请求率军进击敌人，提劲旅，带领精锐部队。直渡长江，清除洛河、黄河所流经的中原地带之敌军。那时再回到汉阳，怀着民族自豪感追思往古，瞻望未来。

朱淑真 （生卒年代不详）

钱塘（今属浙江杭州）人。出身于仕宦家庭，善诗词，工书画，懂音律。少女时期曾有一段美好爱情生活，但父母使她嫁一俗吏，情趣难投，离去长居母家，忧伤终生。她的词凄婉动人。

眼儿媚

迟迟春日弄清柔，花径暗香流。清明过了，不堪回首，云锁朱楼。　　午窗睡起莺声巧，何处唤春愁？绿杨影里，海棠亭畔，红杏梢头。

首句形容春色清和柔媚，前两句写小径上花香扑人。次三句写清明已过，春日即将告终，云彩笼罩着朱楼，最易引起春愁。下片写黄莺巧啭，春愁向何处寻找呢，正是在表现美景柳丝影里、海棠开处、红杏梢头。良辰美景不是消愁，而是生愁，愁意就浓于酒了。

谒金门

春已半，触目此情无限。十二阑干闲倚遍，愁来天不管。　　好是风和日暖，输与莺莺燕燕。满院落花帘不卷，断肠芳草远。

春天已过去一半了，放眼观看春景，引起无限愁思，此情天上人间都得不到同情，孤寂可想，只好遍倚阑干，聊以自遣了。下片写的却是风和日暖的好天气，自己无福，只好让给（输与）黄莺燕子去享受了。满院落花，已近春暮，但她并不卷帘，而纵目去观看，因为心有思远情绪，即怀念以前的情人。芳草远大概是这种含意。

清平乐

恼烟撩露，留我须臾住。携手藕花湖上路，一霎黄梅细雨。　　娇痴不怕人猜，随群暂遣愁怀。最是分携时候，归来懒傍妆台。

恼和撩意思相似，引人烦恼，也用以形容烟露，犹如用无赖形容春光，并无贬义，仿佛说春光调皮，越明媚越使人心情不佳。恼烟撩露形容荷花含烟带露，很美观。第二句：它使我短时停下观赏。三四句写在荷花湖旁路上，与女伴携手同游，这时下了一阵黄梅小雨。下片头两句写自己为爱情烦恼而显得娇痴，并不怕人胡猜乱想，而同女伴们结队游玩，暂时排遣心中愁闷。下两句写同女伴们分手时最为苦闷，回到家里无心走近妆台去梳洗打扮了。

减字木兰花

独行独坐，独倡独酬还独卧。伫立伤神，无奈轻寒著摸人。　　此情谁见？泪洗残妆无一半。愁病相仍，剔尽寒灯梦不成。

前两句用了五个独字，在词里是很特别的。是自吟自和。和诗应由别人写，自和是无朋友和诗，只好自和了。著摸，撩惹，引人不耐烦。下片前两句：流泪把残妆洗去一半，这情形有谁见到呢？愁病相仍，愁病交加，难以入睡，自然也就做不成梦了。

陆游　(1125—1210)

号放翁，山阴（今浙江绍兴）人，出身于官宦家庭。试进士，被秦桧除名。绍兴三十二年（1162），又被孝宗赐进士出身。范成大帅蜀时，曾任参议官在幕中工作。短期同修国史。为南宋最伟大的诗人，存词100多首。

满江红

危堞朱栏，登览处，一江秋色。人正似，征鸿社燕，几番轻别。缱绻难忘当日语，凄凉又作他乡客。问鬓边、都有几多丝，真堪织。　杨柳院，秋千陌，无限事，成虚掷。如今何处也，梦魂难觅。金鸭微温香缥渺，锦茵初展情萧瑟。料也应、红泪伴秋霖，灯前滴。

危堞，城上危险的矮墙。鸿、燕都是候鸟，随天气暖寒而异地栖息，比喻做客他乡，别日所说的话缠绵多情（缱绻），难以忘记。两鬓旁的头发，灰白如丝的已经很多，都可以编织成网了。下片写前景往事，现在已成过去，人也不知在什么地方了，梦中也难以找到了。熏香炉微温，香味若有若无，锦制的褥初步展开，心情无精打采，毫无生气（情萧瑟）。下着秋雨（秋霖），人在灯前落泪，是想象对方的情形。

离别怀远，既写到目前，也写到过去，写自己，也写到对方，委婉，全面，一往情深。

好事近

登梅仙山绝顶望海

挥袖上西峰，孤绝去天无尺。拄杖下临鲸海，数烟帆历历。　　贪看云气舞青鸾，归路已将夕。多谢半山风吹，解殷勤留客。

词写登山望海的印象和感受，作者同大自然接触时的真情实感表现得细致亲切，使读者如身临其境。头两句写山峰高，近天不到一尺。三四句写拄杖到海旁一看，帆船清清楚楚呈现在眼前。下片仍写海上景象：云气像青鸾一样飞舞，令人贪看不厌，往回走时，天已傍晚了。最后两句写松林的风知道殷勤留客，很觉可感，这就是心灵与大自然融为一体了。这是一种崇高的境界。

渔父

灯下读玄真子渔歌，因忆山阴故隐，追拟

镜湖俯仰两青天，万顷玻璃一叶船。拈棹舞，拥蓑眠，不作天仙作水仙。

在镜湖上仰头看到上面的青天，低头可看下面的水面，像万顷玻璃，既明且平，像是另一片青天。渔父在两青天之间有时举桨挥舞，有时拥蓑衣憩睡，无忧无虑，不是像水上仙人一样吗？我给你们选读一些这类的作品，意在使你们喜欢多接近大自然，培养多方面的乐趣，帮助你们身心平衡发展。

钗头凤

红酥手，黄縢酒，满城春色宫墙柳。东风恶，欢情薄，一怀愁绪，几年离索。错，错，错！　　春如旧，人空瘦，

泪痕红浥鲛绡透。桃花落，闲池阁，山盟虽在，锦书难托。莫，莫，莫！

要了解这首词，我得给你们略讲一下陆游的婚姻悲剧。他与姑表妹唐婉是两小无猜的游伴，以后结为夫妇，感情融洽，情趣相投，本来是很幸福的。陆游之母，亦即唐婉之姑，很不喜欢她，所以两人虽然难舍难分，唐婉还是被“出”了，也就是被迫脱离陆游家了。唐婉以后嫁了赵士程。大约在绍兴二十一年(1151)，陆游游沈园，同唐婉夫妇相遇，唐婉还以酒肴款待他。陆游无限伤感，便写了这首词题在沈园壁上，此后不久，唐婉也就病故了。红酥手，形容手如酥油，红润细嫩，黄縢酒，一说即黄封酒，宋代官酒用黄纸封口，故名，以后泛指美酒。宫墙柳，系泛指，是明媚春色中最早常见的树。三句写以往二人携手欢游或对饮。后面四句写生活情况恶化，欢情似水，满怀愁绪，几年来二人分散（离索），今昔不同之感，令人悲叹。末句用三个叠字，悔恨错了，宛如悲叹之声可闻。下片春如旧，回顾前第三句，言春色如旧，但下两句的人瘦和泪湿（浥）手绢（鲛绡）却今昔大不相同了。神话传说中有这样一段故事：水中的鲛人曾寄住在一个人家，天天卖绡（一种薄薄的罗），一天要走了，请主人拿一个容器，泣出珠以赠主人，表示感谢。山盟海誓，指夫妻表示爱情坚贞的誓言，现在这种誓言虽然还存在，也就是虽然彼此还相爱，但已经不能用书信通款曲了。末三个叠字的意思是罢，罢，罢！上片的错和这里的莫，又可能是联绵词“错莫”，诗中常用，意思是寥落，落寞。

浪淘沙

绿树暗长亭，几把离尊。阳关常恨不堪闻，何况今朝秋色里，身是行人。　　清泪浥罗巾，各自消魂。一江离思恰平分。安得千寻横铁锁，截断烟津。

绿树遮暗长亭，几次举杯送别，都恨阳关三叠曲不忍听，何况现当秋天，被送行的却是自己。下片写分别的人双方都有离恨，好像一江水各自占一半。怎样能得到千寻（每寻八尺）铁锁链，在水中截断愁来的道路呢。设想是很奇特的，感情天真而诚恳。

卜算子

咏　梅

驿外断桥边，寂寞开无主。已是黄昏独自愁，更著风和雨。　无意苦争春，一任群芳妒。零落成泥碾作尘，只有香如故。

咏物词或只咏物，或有寓意，咏物而言志。这首词是有寓意的。陆游力主抗金，反对妥协求和，因此遭到排挤打击，无法实现自己的抱负。但他不屈不挠，表现了坚强的毅力，崇高的品格，梅是他的生活和人格的象征。

头两句写梅是无主野生的，开在驿站外面，断桥边上。黄昏时独自发愁，已够寂寞，还遭到风吹雨打。这比喻陆游的生活处境和遭遇。下片头两句比喻自己既不钩心斗角，同别人争取什么好处，别人的嫉妒也一概置之不理。末两句表示即使像梅花一样，落到泥土上被碾成尘末，也仍然香味如旧。这也就是说自己的品格不会被任何打击摧毁或玷污。

诉衷情

当年万里觅封侯，匹马戍梁州。关河梦断何处？尘暗旧貂裘。 胡未灭，鬓先秋，泪空流。此生谁料，心在天山，身老沧洲。

万里觅封侯，指乾道八年（1172）他投身王炎幕下，积极参加抗金事业，想像班超一样立功封侯。前两句说单枪匹马从军驻守梁州（今陕西南部汉中及四川部分地方）。关河，指战斗中走过的关塞和河防，现在只能在梦中重游，梦醒也就完结了。下句说旧的用貂鼠皮做的衣服，被尘土弄脏了。胡指金，现尚未被消灭，但自己的两鬓已经灰白了，眼泪也是白流了，因抗金的事业无法实现。末三句说，料不到余生心在天山，即关心边塞，欲去抗金，而身子却滞留在沧洲（意为水边，因陆游晚年住在绍兴镜湖边上）。

唐婉

婉一作琬，与陆游之母为姑侄，初与陆游结婚，夫妇感情融洽，但不为陆母所容，终于离异改嫁赵士程。但以愁怨而死。

钗头凤

世情薄，人情恶。雨送黄昏花易落。晚风干，泪痕残。欲笺心事，独语斜阑。难，难，难！　　人成各，今非昨。病魂常似秋千索。角声寒，夜阑珊，怕人寻问，咽泪装欢。瞒，瞒，瞒！

前三句说世道人情很薄，好像黄昏时下雨，花容易凋落。下几句写心情无处申诉的寂寞感。下片说时光过去，人已分离，病魂像秋千索一样，即心神恍惚不安。怕人寻问，强作欢笑，更令人怜。一说此词系后人补写成篇，唐婉只写了头两句。

范成大 （1126—1193）

苏州吴县（今江苏苏州）人。绍兴二十四年（1154）进士。曾充赴金使节。

霜天晓角

晚晴风歇，一夜春威折。脉脉花疏天淡，云来去，数枝雪。　　胜绝，愁亦绝，此情谁共说？惟有两行低雁，知人倚，画楼月。

此词咏梅。头两句写傍晚天晴风止了。一夜春寒的威风锐减，也就是天气转暖了。脉脉，含情不语，“花疏”“数枝雪”，都形容梅花；“天淡”“云来去”，写梅花上的天空。上片总的是写少数朵梅花初放在那样的天地之间。下片“胜绝”概括上片的描写，“愁亦绝”写胜景引起的愁情，下句说明愁的原因，叹胜景无人共赏。末写只有两行低雁似还了解月夜倚楼赏梅人的心情，其孤寂是可以想象的了。

朝中措

身闲身健是生涯，何况好年华。看了十分秋月，重阳更插黄花。　　消磨景物，瓦盆社酿，石鼎山茶，饱吃红莲香饭，侬家便是仙家。

上片似乎就是常听到的祝愿：花好、月圆、人寿。黄花就是菊花，是有许多美丽联想的佳节名花。下片写饮佳酿，品清茗，吃红莲香饭，观赏景物度日。写的是平常生活，但并不庸俗。

浣溪沙

江村道中

十里西畴熟稻香，槿花篱落竹丝长。垂垂山果挂青黄。
浓雾如秋晨气润，薄云遮日午阴凉，不须飞盖护戎装。

上片三句写地上景物：十里稻香，木槿花篱笆旁还有修竹，山果有青有黄垂挂在树上。好一幅有香有色的美丽风景画！这表现了作者对这片国土的热爱。下片写天空和气候，潮润阴凉，用不着用伞类保护军装。作者是屯驻边疆的大吏，这里表现了守卫国土的雄心壮志。

我顺便给你们讲一个故事。传说唐代南海向唐宫廷贡了一位奇女，她能用一缕丝分为三缕，染成五彩，用来编结为伞盖五重，其中有天人、玉女、台殿、麟凤等形象。这个伞盖叫“飞仙盖”，词中的飞盖就用的是这个典故。

杨万里　（1127—1206）

吉水（今江西吉安市）人，字廷秀，号诚斋。宋高宗绍兴二十四年（1154）进士，做过四朝的官，关心国事，主张抗金。他是南宋著名诗人，诗风与词风都清新自然。

好事近

七月十三日夜登万花川谷望月作

月未到诚斋，先到万花川谷。不是诚斋无月，隔一庭修竹。　　如今才是十三夜，月色已如玉。未是秋光奇绝，看十五十六。

万花川谷是离作者住宅不远的地方，从百花之名和月光首先普照，作者先去那里望月的情形来看，一定是风景极佳，十分幽静的。作者用同样的笔法写自己书斋的幽静清雅——遮住月光的是又高又密的竹。下片写月光，是自然界的常有现象，但作者写来却使读者感到绝非老生常谈的俗套，而有亲切的同感。

昭君怨

赋松上鸥。晚饮诚斋，忽有一鸥来泊松上，已而复去，感而赋之

偶听松梢扑鹿，知是沙鸥来宿。稚子莫喧哗，恐惊他。
俄顷忽然飞去，飞去不知何处。我已乞归休，报沙鸥。

扑鹿，形容海鸥的飞声，闻声知它来松梢栖息，因令儿童不要大声叫嚷惊动它。俄顷，不多一会儿，鸥又不知飞到什么地方去了。末两句说自己已请退隐，想约鸥为伴，所以报知它。

中国古书中有故事写到，人若持友好态度，没有损害的意图，可以感动鸟类如鸥，与人为伴。英国博物学家哈德生（H. W. Hudson）爱写鸟类生活，写有的动物与人产生友谊，鸟怀恩报德，多年访问恩主的故事。奶奶选译过一些篇，集为《鸟与兽》，你们若有兴趣，可以阅读，很有意思。

王质 （生卒年代不详）

郓州（今属山东）人，绍兴三十年（1160）进士。

鹧鸪天

山　行

空响萧萧似见呼，溪昏树暗觉神孤。微茫山路才通足，行到山深路亦无。　　寻草浅，拣林疏，虽疏无奈野藤粗。春衫不管藤挡碎，可惜教花著地铺。

首句写山里似乎有些什么东西呼唤他，但又不知道究竟是什么，有声更显得幽静。前两句写看不清楚溪水树木，自己有孤寂之感。看不清的小路上容得下脚，但走到山深处小路也没有了。下片写挑选草浅树疏的地方走，但又有粗藤阻挡〔“挡”读抽（chōu），这里做抓住、牵挂解〕。粗藤把春衫抓住弄破了。且不去管衣破，可惜花本可以在这里自开自落，却因这一牵扯，似乎我特意使花落了满地似的，倒让我觉得有些抱歉了。全词把山行和行人的心理都写得很细致。“教”在这里读交（jiāo）。

沈端节 （生卒年代不详）

吴兴人，寓居溧阳（今属江苏省）。

虞美人

去年寒食初相见，花上双飞燕。今年寒食又花开，垂下重帘不许、燕归来。　　隔帘听燕呢喃语，似诉相思苦。东君都不管闲愁，一任落花飞絮、两悠悠。

因为离愁而迁怒，既厌听燕语呢喃，又怨东风不管闲愁。这种情绪是常有的，平直写出，不无风趣。

张孝祥　（1132—1170）

历阳乌江（今安徽和县东北）人。绍兴二十四年（1154）廷试第一。有人称他平昔未尝著藁（打草稿），笔酣兴健，顷刻即成。

如梦令

木　犀

花叶相遮相映，雨过翠明金润，折得一枝归，满路清香成阵。风韵，风韵，寄赠绮窗云鬓。

先写木犀（桂）花的叶、花朵和香味，次写折得一枝，寄赠绮窗内所爱的人。

念奴娇

过洞庭

洞庭青草，过中秋，更无一点风色。玉鉴琼田三万顷，著我扁舟一叶。素月分辉，明河共影，表里俱澄澈。悠然心会，妙处难与君说。　　应念岭表经年，孤光自照，肝胆皆冰雪。短发萧骚襟袖冷，稳泛沧溟空阔。尽吸西江，细斟北斗，万象为宾客。扣舷独笑，不知今夕何夕。

洞庭湖南边是青草湖，二湖往往并称为洞庭。中秋之后，风平浪静。鉴是镜，琼是玉，二者形容二湖水面在月光下如镜似玉。一叶扁舟在湖面泛游，明月的光辉照耀着湖面，银河向湖面投下阴影，身外水天一色，内心也同样清澈纯净。此中妙趣，自己心领神会，但难以向别人形容。下片回忆往事，抒写情怀。岭表，岭南，在五岭以外。这里写的是作者于乾道二年（1166）被政敌诬陷，罢官取道湖南北归，路过洞庭。孤光，指清冷的月光；自照，言自身孤独，但内心高洁，有如冰雪。下两句写自己的行动：短发轻装，潇洒自在，在空阔无边的大水中，稳稳泛舟。意思是一切不如意的事都已置之度外。西江指长江注入洞庭之水；北斗指北斗七星，其形如酒勺；万象指天地间万物——吸尽西江的水当酒，用北斗七星作酒勺，邀天地间万物做宾客畅饮，形象地写出了作者的豪放胸怀。因此能扣船舷（船边）独自笑吟，把时间都忘记了。

吕胜己 （生卒年代不详）

建阳（今属福建）人，曾受学于朱熹。淳熙辛丑（1181）为杭州守，以事罢归。

蝶恋花

眼约心期常未定，邂逅今朝，暂得论心曲。忽坠鲛珠红簌簌，双眸剪水明如烛。　　可恨匆匆归去速，去去行云，望断凄心目。何似当初情未熟，免教添得愁千斛。

一上来只是眉目传情，动心而无定。今早偶然相逢，短时彼此说明了相爱之情。忽然看到她簌簌落泪，双眼亮晶晶的。但可惜她如行云忙匆匆归去，伤心地看不到人影了。倒不如无此一见，只有初萌的情思，免受现时的千钧愁苦了。

赵长卿 （生卒年代不详）

自号仙源居士，南丰（今江西南丰）人，宋宗室。词模仿张先、柳永。著有《惜香乐府》。

浣溪沙

寒食风霜最可人，梨花榆火一时新。心头眼底总宜春。
薄暮归吟芳草路，落红深处鹧鸪声。东风疏雨唤愁生。

寒食天气虽有风霜，但不冷不热，对人最合适。梨花榆树一时显得新鲜。眼前的景物，心头的情绪，对这时春日的天气都很适宜。傍晚在路上边走边吟，落红和鹧鸪鸣叫声引起联想，又有微风细雨，心头不免泛起轻愁。写景抒情都平淡自然。

朝中措

梅

别来无事不思量，霜日最凄凉。凝想倚阑干处，攒眉应为萧郎。　　梅花岂管人消瘦，只恁自芬芳。寄语行人知否？梅花得似人香。

离别后事事思量，觉得日子凄凉难过。因为自己思念伊人，想象伊人也倚着阑干，为思念自己而愁眉不展。下片想象梅花虽然不关心人为相思而消瘦，尽自开花发香，但自己却想到告知伊人，是不是闻到的花香应当像闻到人香一样。

江神子

夜凉对景

彩云飞尽楚天空，碧溶溶。一帘风，吹起荷花、香雾喷人浓。明月凄凉多少恨，恨难许、我情钟。　　相思魂梦儿时穷？洞房中，忆从容，须信别来、应也敛眉峰。好景良宵添怅望，无计与、一樽同。

楚天指西湖一带旧楚地的天空，云尽一片碧蓝。起了风，吹送荷花浓香扑鼻。在这凄凉的月明之夜，多恨难对伊人相诉自己情之所钟。梦里相思是无穷无尽的，料想别后，伊人也愁眉常敛，思念自己吧？好景良宵，心里倍加惆怅，无法同饮一杯，共解愁怀。

诉衷情

花前月下会鸳鸯，分散两情伤。临行祝付真意，臂间皓齿留香。　　还更毒，又何妨，尽成疮！疮儿可后，痕儿见在，见后思量。

两人相爱情笃，离别情伤，伊人为表示真情，用洁白的牙齿咬啮情人的手臂。咬得感染成疮，但这又有什么关系呢？疮好了，伤痕还在，再见时正好引起两人的愉快回想。

辛弃疾 （1140—1207）

字幼安，号稼轩。历城（今属山东）人。他出生时，山东已为金人所占。幼年目睹金人对汉人的残暴，21 岁即参加抗金义军。绍兴三十二年（1162）义军领袖耿京派辛弃疾与南宋联系，商谈抗金问题，回来时耿京被叛将张安国暗杀，义军已溃散。辛弃疾号召义军万人反正，生擒了张安国，但抗金战事未获成功。

辛弃疾南归后几十年中，一直坚持抗金主张，与主和派对抗，但始终壮志难伸。1207 年 9 月，在瓢泉（今江西铅山地）逝世。

青玉案

元　夕

东风夜放花千树，更吹落，星如雨。宝马雕车香满路，凤箫声动，玉壶光转，一夜鱼龙舞。　蛾儿雪柳黄金缕，笑语盈盈暗香去。众里寻他千百度，蓦然回首，那人却在，灯火阑珊处。

元夕，正月十五夜，元宵节，又称灯节，是民间玩灯的时候。我小时看过多次，现在你们很少机会看到了。全词写灯节盛况和在灯光明亮处见到心爱伊人的惊喜。我读这首词特别觉得亲切，因为引起一些童年的愉快回忆。花千树，使我想到童年所见的“花枝”灯。几十人举着上面点满蜡烛的真树枝，排成一行缓缓行走，枝上满是鲜艳的花朵和翠绿的叶子（人工制的）。那时候有一种习俗，你们听起来恐怕很不理解了，我也当故事给你们谈谈吧。做父母的人认为早早为子女订婚，是神圣的义务；订过婚的女孩就不能随便走出闺门，抛头露面了。因此，订过婚的男女孩子，绝无见面的机会。我们上小学的三个同学，十几岁，都早已订过婚了，接触过一点“新学”，虽然对这种习俗还谈不上有反抗思想，却也不认为神圣不可侵犯了。我们窃窃私议，乘灯节的机会，偷看看家长为我们选定的意中人。花枝灯照得街两旁很明亮，我们跟着高举花枝灯的人边看边走。“众里寻他千百度，蓦然回首，那人却在，灯火阑珊处。”——我们看到了之后同台静农爷爷结成恩爱幸福夫妇的于姐。多年后谈起来，我们还认为是一大快事。

那时也有做成鱼形的灯随着舞的，不过不像“龙灯”一样由众人擎着舞罢了。“鱼龙舞”即龙舞，你们在电视里还常看到，这是灯节必有的节目，我们童年是最喜欢看的。但我童年还看过很不爱看的“懒龙”，就是10多人高举着一条龙，不仅不舞，也不动，只偶然晃一晃头，仿佛刚刚醒来一样。我们看到它很不耐烦，之后就不再见它登场了。我那时就想，中国人民是勤劳的，举着它加入灯会，大概有点讽刺的意味，之后像自然界的恐龙一样，遭到淘汰了。

现在我们讲讲词的本身吧。头三句，一说都泛指各种灯，既像万树花开，又像吹落了满天星斗。总之是灯既美又多。又有人引《东京梦华录》：京师各坊巷以竹竿出灯球放半空，远近高低，若飞星然。一说前三句是写“放花”：先说初放，次说放后，花和星都是幻景。第四句写骑良马坐华美车辆看灯的人很多，香风阵阵。凤箫，形参差如凤翼，声如凤鸣，故名。玉壶，月亮；月下落，天色渐晚（光转），但鱼龙灯还彻夜舞动。蛾儿、雪柳、黄金缕，妇女的装饰品，泛指华装的妇女。边谈边笑，仪态优美，散发着香味过去了，在众人中千百次寻找意中人都未见到，忽然回头，却见到那人儿在灯火稀少的地方呢。

摸鱼儿

淳熙己亥，自湖北漕移湖南，同官王正之置酒小山亭，为赋

更能消几番风雨，匆匆春又归去。惜春长怕花开早，何况落红无数。春且住，见说道，天涯芳草无归路。怨春不语，算只有殷勤，画檐蛛网，尽日惹飞絮。　　长门事，准拟佳期又误，蛾眉曾有人妒。千金纵买相如赋，脉脉此情谁诉？君莫舞，君不见、玉环飞燕皆尘土。闲愁最苦。休去倚危栏，斜阳正在，烟柳断肠处。

淳熙己亥，南宋孝宗淳熙六年（1179）。作者调任湖南转运副使（漕是省称）。王正之是作者的同事。小山亭在鄂州（今武昌），湖北转运副使官署内。

消，经得住。经不起几番风雨，春天就匆匆过去了。长怕，总是怕，因为珍惜春天，怕花开得太早，可是现在花已经谢落不少了。春天先留下莫走吧，听说（见说）天涯长满芳草，已经没有回去的路了。可恨春并不答话。只有画檐下的蜘蛛网还算殷勤，整天把柳絮捕捉住，算是留住春的痕迹吧。

这首词是有象征意义的，上片写的是惜春归去，

实际是比喻北宋大片河山被金人侵占之后，南宋并无收复失土的心，国事更是乱糟糟的，作者抗金的主张无法实现。落红无数，春归无路，蛛网捕絮，都是上言情况的形象化描写。下片长门事五句，表面写的是：汉武帝的陈皇后失宠，幽居长门宫，赠百斤黄金给司马相如，请他写赋，感动皇帝，使与后言归于好。事实上并未做到，因为有人嫉妒，深情无法申诉。实际比喻作者一片抗金爱国热忱，被人谗妒，无法实现。君莫舞，劝你们（指争权夺利，诽谤排挤作者的群小）不要欢舞吧，因为玉环、飞燕都已经化为尘土了。玉环是唐玄宗的爱妃杨贵妃，飞燕是汉成帝的皇后赵飞燕，都是一时的走红人物，用以比喻得意的群小。她们既已化为尘土，你们也要因亡国而同归于尽了。末写南宋的惨淡危急情况。

破阵子

为陈同甫赋壮词以寄之

醉里挑灯看剑，梦回吹角连营。八百里分麾下炙，五十弦翻塞外声。沙场秋点兵。　　马作的卢飞快，弓如霹雳弦惊。了却君王天下事，赢得生前身后名，可怜白发生。

陈同甫名亮，作者的友人。

挑灯，把灯光拨亮些。吹角连营，许多兵营里都吹起军中的号角。醉里看剑，梦中听角，都表明身心时时离不开军队。八百里4句，不如给你们讲讲有关的故事，或许更容易明白。《世说新语》里说，王君夫有一头牛，起名“八百里驳”（驳读檗，音bō，猛兽名），自己很喜爱，常把牛的蹄角擦得很亮。王武子对王君夫说，我射箭的功夫不如你，可是想以射牛赌个输赢，你意下怎样？君夫自恃箭术高明，而且忖度他不会杀伤自己心爱的牛，便让武子先射。不料武子一箭射死了牛，还令人速取牛心烤熟，吃了一片就走了。八百里借指烤牛肉。分麾下炙，就是分给军队烤了吃。五十弦，指瑟，原为五十弦，后改为二十五弦，诗中有时称锦瑟。这句写边奏，表现边塞生活的塞外音乐。这是秋季点兵的情况。

马作，和弓如相对，作，意思与如相同。马的前额白色直到口齿的，称为的卢。这种马照《相马经》说跑得快，但乘者不吉。这句说马像的卢一样跑得如飞迅速。霹雳，闪电并有雷声，全句写射箭有力，声音大如霹雳。了却，办完了；君王天下事，指抗金胜利，收复失土，这样就可以生前死后都得到名声了。但末句表明：现在已经白发，理想并未实现，不免感慨万端。全词多写回忆，轻点现实，有画龙点睛之妙。

鹧鸪天

鹅湖归，病起作

枕簟溪堂冷欲秋，断云依水晚来收。红莲相倚浑如醉，白鸟无言定自愁。　　书咄咄，且休休。一丘一壑也风流。不知筋力衰多少，但觉新来懒上楼。

鹅湖在江西铅山县东。枕头席子都凉了，有将到秋天的样子，水边的云晚来也散了。红莲如醉，白鸟无言，情景十分幽美，表现了病愈后闲逸心情。下片前句（书咄咄）的解释有分歧，我想最好先给你们讲个小故事。晋代有个殷浩，被罢官放逐之后，表面并无怨言，仿佛处之坦然，但终日对空书写“咄咄怪事”四字。有的注者说，“书咄咄”是用这个典故。但另有注者说，殷浩是个官迷，清高是伪装的，品格与作者正好相反，作者绝不会用这个故事，以殷自喻。你们问我，这两句倒是啥意思呢？这倒使我有点为难了。我就姑妄言之，你们也就姑妄听之吧。晋代诗人有这样两句诗：“冉冉逝将老，咄咄奈老何！”作者当然想到这两句诗，但词末一句叹老的心情，同诗意很相近，书咄咄只是年老身闲，做点事儿消遣。且休休，也还得讲个小故事：《旧唐书》中说司空图作过一篇《休休事记》，其中说道："盖量其才，一宜休，揣其分，二宜休，耄且聩，三宜休。又少而惰，长而率，老而迂，是三者皆非济时之用，又宜休也。"总之，自以为才浅、年老、迂腐、耳聋，不足济时，以休为好。作者未必想到这些，但一面愤世，因欲济时而不得，一面惜无奈老何，因觉懒上楼。但作者对祖国的山河还是热爱的："一丘一壑也风流"嘛；不过大部分河山已被金占，破碎不堪了，最后的"懒上楼"似乎就有弦外之音了。

定风波

暮春漫兴

少日春怀似酒浓，插花走马醉千钟。老去逢春如病酒，唯有、茶瓯香篆小帘栊。　　卷尽残花风未定，休恨，花开元自要春风。试问春归谁得见？飞燕、来时相遇夕阳中。

上片将青少年时期和老年时期生活加以对比，特别逢春情怀大异。但不同时期有不同生活是自然规律，作者的态度，可以从下片对待春风的两句诗中看出。这是达观的。当然我们知道，作者老年还胸怀壮志，关心国家命运，时时作词抒怀，并不是只饮茶、焚香、默坐。想象春和飞燕在夕阳中相遇，诗情也不减当年。

清平乐

检校山园，书所见

连云松竹，万事从今足。拄杖东家分社肉，白酒床头初熟。　　西风梨枣山园，儿童偷把长竿。莫遣旁人惊去，老夫静处闲看。

首句写松竹已经长到高入天空了，山园里可算万事俱备了。社，指社日，民间祭土地神的节日，既分到肉，又有白酒，可以过小康的生活了。下片写梨枣满园，儿童持竿欲偷，老人颇有风趣，只想在静处看看，不愿让别人去惊动他们。

清平乐

茅檐低小，溪上青青草。醉里吴音相媚好，白发谁家翁媪。　　大儿锄豆溪东，中儿正织鸡笼。最喜小儿无赖，溪头看剥莲蓬。

写农村景象和农民生活，生动清新，好像一首很好的田园牧歌。头两句写低矮茅舍和周围有溪有草。以下写到人：一对老年男女（翁媪是老年夫妇尊称）微醉用吴语（江浙一带的话）交谈，相媚好既形容吴音柔美，也形容夫妇感情融和。大儿锄豆，中儿织笼，都干着农村常见的活。小儿不干什么活，只在河边看剥莲蓬（一作“卧剥”，那就是还干一点活或者剥了自己吃），天真好奇的憨态引得老夫妇最为疼爱。“无赖”有顽皮淘气而令人喜爱的含意，“最喜”二字就把含意点得很清楚了。

人生是多彩的，海阔天空的场面固然令人惊叹，碎锦组成的画图，不也很可喜爱吗？

清平乐

独宿博山王氏庵

绕床饥鼠，蝙蝠翻灯舞，屋上松风吹急雨，破纸窗间自语。　　平生塞北江南，归来华发苍颜。布被秋宵梦觉，眼前万里江山。

博山，山名，离今江西广丰县西南约30里。庵，茅舍。

上片写茅舍内情况：饥鼠、蝙蝠乱跳旋飞，屋上狂风急雨，窗纸破了，仿佛在自言自语。写得十分生动。下片回忆抒情，文字精练，感情深刻。平生句写他为国事（抗金）在塞北江南多地奔波。归来句写淳熙八年（1181）作者罢官回到上饶家中，虽才40多岁，却已经头发灰白，面色苍老了。秋夜已凉，又心事重重，所以容易梦醒，但所关怀的还是祖国万里江山被金侵占，自己恢复国土的壮志未酬是一大憾事。

满江红

敲碎离愁，纱窗外、风摇翠竹。人去后，吹箫声断，倚楼人独。满眼不堪三月暮，举头已觉千山绿。相试将、一纸寄来书，从头读。　　相思字，空盈幅；相思意，何时足。滴罗襟点点，泪珠盈掬。芳草不迷行客路，垂杨只碍离人目。最苦是、立尽月黄昏，阑干曲。

词写离愁别恨。前三句写窗外风摇翠竹，激起离愁。次写人去后再也听不到箫声，只有独倚阑干思念了。楼外暮春景色也不能使人安慰，只有重读来信，聊以自慰了。下片写信中虽充满相思字句，但不足解慰相思之情。因而满眼泪珠滴湿罗襟。道路不能阻止人前来，但垂杨却碍人眼目不能相见。月夜黄昏，倚阑独立是最苦的了。

满江红

暮　春

家住江南，又过了、清明寒食。花径里，一番风雨，一番狼藉。红粉暗随流水去，园林渐觉清阴密。算年年、落尽刺桐花，寒无力。　　庭院静，空相忆；无说处，闲愁极。怕流莺乳燕，得知消息。尺素如今何处也，彩云依旧无踪迹。谩教人、羞去上层楼，平芜碧。

清明过后，已到暮春，一经风雨，便落花狼藉，显得乱糟糟。佳人他去，绿荫渐密，刺桐花落尽，春寒也不太厉害。庭院幽静，白白想念，又无处诉苦。如今书信无处可寄，佳人仍不知在什么地方。青草平原，遥遥千里，使人不好意思登楼远望，因怕黄莺乳燕知情见笑。

王孙信

调陈翠叟

有得许多泪，又闲却、许多鸳被。枕头儿、放处都不是，旧家时，怎生睡？　　更也没书来，那堪被、雁儿调戏？道无书，却有书中意：排几个、人人字。

此调见《稼轩词》，原名寻芳草，自注一名王孙信。调，戏赠。陈翠叟大概是作者的友人。词写夫妇离开，夫思念流泪，连枕被都异样了，无法入睡。又没有书信前来，雁儿却开玩笑，排成人字队儿，也就算是书信吧！

临江仙

手捻黄花无意绪，等闲行尽回廊。卷帘芳桂散余香。枯荷难睡鸭，疏雨暗池塘。　　忆得旧时携手处，如今水远山长。罗巾浥泪别残妆。旧欢新梦里，闲处却思量。

黄花（菊花）、桂花、枯荷都表示秋景。这时情绪不佳，只随便在回廊里闲步。下片说明因为昔日携手同游的人，现在已经隔着万水千山了。不过有时还在新梦里回忆旧欢。

西江月

夜行黄沙道中

明月别枝惊鹊，清风半夜鸣蝉。稻花香里说丰年，听取蛙声一片。　　七八个星天外，两三点雨山前。旧时茅店社林边，路转溪桥忽见。

黄沙岭，在江西上饶县西。

首句说鹊因月明受惊，从一枝跳到另外一枝。这句同第二句对得极工：明月、清风；别枝、半夜；惊鹊、鸣蝉。全对得很好。三四句写稻香蛙声，把二者联系起来，仿佛蛙声预报丰年，就更富有诗的风味了。下片头二句似乎随手写来，但也有文学联想：唐卢延让有《松寺》一诗，中有两句："两三条电欲为雨，七八个星犹在天。"文学联想可以提高并丰富文学欣赏能力，十分重要，但我并无学力，多为你们举例，目前也无必要，因为只是启蒙。不过，有这点常识，长大读书多留心就好了。同时不要作钻牛角尖的学究。

社，土地祠。习俗在祠旁种植本地常见易长的树木，社林即指这些树。旧时常见的茅店，转过桥边，忽然又见到，惊喜之情很富有感染力量。

西江月

遣　兴

醉里且贪欢笑，要愁那得工夫。近来始觉古人书，信著全无是处。　　昨夜松边醉倒，问松我醉何如？只疑松动要来扶，以手推松曰：“去！”

醉态写得十分活跃。你们看，所用的只是一个细节，就收到很大的艺术效果，这是应当细细体会的。顺便对你们谈点人生哲学吧！欢笑不要多愁，对身心平衡发展很有好处，希望你们能身体力行。至于“古人书，信著全无是处”，却要经过思考，哪些是应该相信，哪些是应该不信的，哪些是应该实践的，哪些是应该抛弃的。这句词教人不要迷信，倒是很好的劝告。我们选读的诗词，也不是篇篇都是珠玉，你们喜欢的，可以随意背诵，不喜欢的，读读就完了。当然这也不能绝对化，不喜欢的，或者因为经验不足，未能体会。欣赏能力也要经验深化多样，才可以逐步提高。

丑奴儿

书博山道中壁

少年不识愁滋味，爱上层楼。爱上层楼，为赋新词强说愁。　　而今识尽愁滋味，欲说还休。欲说还休，却道天凉好个秋。

博山在江西广丰县西南30多里，离作者所居信州（今江西上饶）不远，他常来往二地道中。

上片说少年时天真烂漫，本无愁无虑，爱上高楼，只是为玩耍。但为要写新词，无愁而勉强说愁。当然这种愁也不过伤花落春去。下片的愁却包括作者的人生经历：抗金之志未酬，遭投降派诽谤排挤，等等。这种愁关系到民生国事，多说倒容易惹祸，所以只好闷在心里，欲说还休，只说秋天很凉快了。全词文字浅显，老少对比也平平常常，但感情沉痛深厚，意境崇高。

临江仙

壬戌岁生日书怀

六十三年无限事，从头悔恨难追。已知六十二年非，只应今日是，后日又寻思。　　少是多非惟有酒，何须过后方知？从今休似去年时：病中留客饮，醉里和人诗。

壬戌是嘉泰二年（1202）。在人生旅程中，觉今是而昨非，是心理的常态。在人的一生中，总难免犯这样或那样的错误，只要知过必改，也不必形成精神上的负担，影响前进。《淮南子》载：蘧伯玉行年五十，知四十九年之非。作者此时已是六十三岁，所以说已知六十二年非。词中所说病中留客，醉里和诗，略可见作者的真性情，他还以此自责，可见在大的原则问题上（例如主战抗金），他是会更严格要求自己的了。这是你们应当思考学习的地方。

刘过　（1154—1206）

吉州太和（今江西泰和）人。字改之，号龙洲道人。曾上书提出恢复中原方略，未被采用。曾与辛弃疾以词相酬和。后流浪以终。

沁园春

寄稼轩承旨，时承旨招，不赴

斗酒彘肩，风雨渡江，岂不快哉！被香山居士，约林和靖，与坡仙老，驾勒吾回。坡谓西湖，正如西子，浓抹淡妆临镜台。二公者，皆掉头不顾，只管衔杯。

白云天竺去来，图画里、峥嵘楼阁开。爱纵横二涧，东西水绕；两峰南北，高下云堆。逋曰不然，暗香浮动，不若孤山先探梅。须晴去，访稼轩未晚，且此徘徊！

嘉泰三年（1203），作者在杭州，辛弃疾邀请他去绍兴一游，刘过写此词答复，先不能去。据说辛见词大喜，之后还邀刘去宴游一月。

刘在词中把三个不同时代的诗人拉到一起，各用他们诗意争论应先游何地，想象奇特，富有风趣。最后点明不负友人相邀之情，感情真挚，文字自然。

首三句写携带斗酒猪肩，不畏风雨，渡过钱塘江，会友畅游，谈诗论文，岂不是一大快事！可是被白居易（香山居士）、林和靖、苏东坡（坡仙老）强留下来，走不脱。词先用苏东坡诗意，劝大家先游西湖。苏诗是这样的："湖光潋滟晴方好，山色空濛雨亦奇。欲把西湖比西子，淡妆浓抹总相宜。"可是其他二公对此掉头不顾，只管饮酒。下片先用白居易诗意，强调天竺山美景，劝大家先去游玩那里。白居易有这样诗句："楼殿参差倚夕阳"（《西湖晚归回望孤山寺赠诸客》），"湖上春来似画图"（《春题湖上》），"东涧水流西涧水，南山云起北山云"（《寄韬光禅师》）。刘诗把诗句融合而成。林逋隐居孤山，喜欢梅花；曾作诗吟咏，有这样一首："众芳摇落独暄妍，占尽风情向小园。疏影横斜水清浅，暗香浮动月黄昏。霜禽欲下先偷眼，粉蝶如知合断魂。幸有微吟可相狎，不须檀板共金尊"（《山园小梅二首》之一）。他主张先去孤山探梅。这三位诗人都与杭州有密切关系，又都写过与当地名胜有关的诗，这种文学联想更增加词的诗趣。

姜夔 （生卒年约在1155—1209间）

字尧章，因居吴兴武康，与白石洞天为邻，因号白石道人。鄱阳（今属江西省）人，一生未做过官。常在鄂、赣、皖、苏等地间漫游，在杭州逝世。有《白石词》一卷。

长亭怨慢

予颇喜自制曲，初率意为长短句，然后协以律，故前后阕多不同。桓大司马云："昔年种柳，依依汉南；今看摇落，凄怆江潭。树犹如此，人何以堪！"此语予深爱之。

渐吹尽、枝头香絮，是处人家，绿深门户。远浦萦回，暮帆零乱向何许。阅人多矣，谁得似长亭树？树若有情时，不会得青青如此。　　日暮，望高城不见，只见乱山无数。韦郎去也，怎忘得玉环分付？第一是早早归来，怕红萼无人为主。算空有并刀，难剪离愁千缕。

桓大司马，为桓温。他的话只有"树犹如此，人何以堪？”序中六句，出庾信的《枯树赋》。

词首句写暮春时节，柳絮已渐被风吹尽了。二三句写所爱人的家屋，在绿林深处。四五句写远处有水环绕，傍晚可见零乱船帆，不知要开到什么地方去。此处似想象船中旅客，应有怀离愁别恨的，因此写到驿站十里长亭边的树，若有情，应会同样感到离愁，不会如此青青。这就联系到序中的“树犹如此，人何以堪”，也与全词的意思贯通了。下片日暮三句写不见高城，只见乱山，可见环境荒凉，更增加寂寞感了。关于韦郎和玉环有这样一段故事：“韦皋游江夏，与青衣玉箫有情，约七年再会，留玉指环。八年，不至，玉箫绝食而殁。后得一歌姬，真如玉箫，中指肉隐如玉环。”（见《云溪友议》）以下以韦郎和玉环做比喻，显然系怀人之作。二人也终于未再会合，所以说虽有并州所产的锋利剪刀，也剪不断千缕离愁。

暗　香

辛亥之冬，余载雪诣石湖。止既月，授简索句，且征新声，作此两曲，石湖把玩不已，使工妓肄习之，音节谐婉，乃名之曰《暗香》《疏影》。

旧时月色，算几番照我，梅边吹笛？唤起玉人，不管清寒与攀摘。何逊而今渐老，都忘却、春风词笔。但怪得竹外疏花，香冷入瑶席。　　江国，正寂寂。叹寄与路遥，夜雪初积。翠尊易泣，红萼无言耿相忆。长记曾携手处，千树压、西湖寒碧。又片片吹尽也，几时见得？

辛亥，宋光宗绍熙二年（1191）。石湖在苏州西南，通太湖。范成大住在这里，号石湖居士。《暗香》《疏影》，取自林逋《山园小梅》：“疏影横斜水清浅，暗香浮动月黄昏。”

词的头五句是往事回忆：几次月夜在梅边吹笛，并冒清寒，与所爱的人一同攀折梅花。何逊8岁即能赋诗，曾做过扬州法曹（官名），官署内有梅花一株，逊常在树下吟咏。之后住在洛阳，很想念这株梅花，再往扬州，梅正盛开，逊终日观赏，不忍离去。作者以何逊爱梅自喻，但自叹渐老，诗情不像以前浓厚了。“但怪”三句写范成大宴请赏梅，闻到竹外梅香，又引起往事回忆。下片先写“江国”，指江南水乡，“寂寂”，冷清清的。次叹息路远雪积，无法寄梅以表相思之情，又叹往事徒成空忆。寄梅是用陆凯寄梅给范晔的故事。在西湖携手共赏千树梅花的旧欢已经是一去不复返，但是千树梅花依然靠近雪后的西湖碧水开放。梅花将片片落尽，不知何时能再见梅开的美景。慨叹

“翠尊易泣，红萼无言耿相忆”（“酒入愁肠，化作相思泪”，梅花无言相慰），是很自然的了。

疏　影

苔枝缀玉，有翠禽小小，枝上同宿。客里相逢，篱角黄昏，无言自倚修竹。昭君不惯胡沙远，但暗忆，江南江北。想佩环，月下归来，化作此花幽独。　　犹记深宫旧事，那人正睡里，飞近蛾绿。莫似春风，不管盈盈，早与安排金屋。还教一片随波去，又却怨、玉龙哀曲。等恁时，重觅幽香，已入小窗横幅。

苔是苔梅，有两种，一种枝干上苔藓特厚而花多，一种苔如绿丝，长一尺余。词首句写苔梅枝上开着白花。二三句写枝上有一双翠鸟同宿。客里，指在范成大家做客，下两句写梅树像美人一样，黄昏时在篱边自倚修竹，默默无言。昭君以下几句是以她比喻梅花。昭君即王昭君，原为汉元帝宫人，为和亲，嫁给匈奴的单于。死后即葬在异域，墓上的草长青，因名青冢，遗址在呼和浩特境内。词写她不耐胡地风沙之苦，心中暗暗怀念故国江南江北，因此月夜归来，化为幽独的梅花。这种想象，以前的人也有过。姜词复用，比喻极着。有人认为隐含北宋亡国，钦徽二帝被掳之悲。下片前三句又用了一个与梅花有关的故事，也就是“深宫旧事”：南朝宋武帝的女儿，一天睡在含章殿帘下，梅花飘落到她的额上，留下5瓣花影，两日后才洗掉，之后仿之做梅花妆。蛾绿，染黛的眉。莫似三句有惜花之意，想安排金屋储藏，以免春风“不管盈盈”（不顾梅花之美色），把梅花早早吹谢。“金屋”虽只做比喻，也涉及一个小故事：汉武帝的姑母有个女儿，名叫阿娇，武帝幼时，她指着阿娇问他，“阿娇好否?”武帝笑对：“若得阿娇作妇，当作金屋贮之也。”玉龙，笛子，玉形容其华美装饰，尤形容其声音。“哀曲”，指笛曲《梅花落》。恁时，什么时候；幽香指梅花；末句说只有在画幅中求之了。

《暗香》和《疏影》，一般认为是姜夔的代表作，因为用典和化用别人诗句多，比较难懂，解释也很不一致。我只能讲讲大意，不一定完全准确。

李从周 （生卒年代不详）

眉州（今四川眉山）人。精六书之学，曾著《字通》。

谒金门

花似匝，两点翠娥愁压。人又不来春且恰。谁留春一霎。　消尽水沉金鸭，写尽杏笺红蜡。可奈薄情如此黠，寄书浑不答。

女面如花，愁容压着双眉。春光正好（恰），但人却不来。谁能把春留住一会儿呢？熏炉里的香已经消尽，杏红色的蜀笺已经写完，红烛也点完了，无奈薄情的人如此狡猾，寄信去他全不理。

清平乐

美人娇小，镜里容颜好，秀色侵人春帐晓。郎去几时重到？　叮咛记取儿家：碧云隐映红霞，直下小桥流水，门前一树桃花。

头两句形容女子娇美。次两句写离别时她问情人几时重来。下片写她叮咛情人莫要忘了她家周围美景，写景实已抒了盼归之情。少女痴情憨态写得含蓄微妙。

刘克庄 （1187—1269）

莆田（今属福建）人。宋理宗淳祐六年（1246）赐同进士出身。他反对南宋政权妥协苟安，渴望恢复北方土地，因作落梅诗被谗免官，病废10年。词风近辛弃疾。

清平乐

五月十五夜玩月

风高浪快，万里骑蟾背。曾识姮娥真体态，素面原无粉黛。　　身游银阙珠宫，俯看积气蒙蒙。醉里偶摇桂树，人间唤作凉风。

词运用神话材料，抒写豪迈怀抱和丰富想象。首两句写骑在蟾蜍背上（古代传说月上有蟾蜍），乘风破浪万里，到月宫游玩。三四句写在月宫见到偷食仙丹奔月的嫦娥，原来不施粉黛，面部素美。下片续写游览月中华丽宫殿，向下面一看，雾气蒙蒙。醉里摇动月中的桂树，人间便刮起了凉风。你们敢这样畅快地游玩一番吗？我希望你们敢！要骑在蟾蜍背上才有意思。

一剪梅

余赴广东，实之夜饯于风亭

束缊宵行十里强，挑得诗囊，抛了衣囊。天寒路滑马蹄僵，元是王郎，来送刘郎。　　酒酣耳热说文章，惊倒东墙，推倒胡床。旁观拍手笑疏狂，疏又何妨，狂又何妨！

赴广东，指作者到广东潮州去就通判职。实之是作者的友人王实之，二人常有诗唱和。束缊，把长袍束起来，以便夜行。胡床是便于携带的交椅。下片写二人酒酣谈诗论文，使旁观者笑为疏狂，但他们并不在乎。全词写得自然生动。

长相思

朝有时，暮有时，潮水犹知日两回。人生长别离。

来有时，去有时，燕子犹知社后归。君行无定期。

这是恨离别的闺怨词。上片写早晨和晚上都有定时，潮水涨退每天两次也有一定规律，而人生却聚别无定，聚少离多。下片写燕子春社来，秋社去，也有定时，而你却行止毫无定期。

吴潜　(1196—1262)

宣州宁国（今属安徽）人。一说德清（今属浙江）人。嘉定十年（1217）进士第一。曾任左丞相，兼枢密使。后被劾谪。

诉衷情

几回相见见还休，说着泪双流。又听画角呜咽，都和作、一团愁。　　云似絮，月如钩。忆凭楼。蕙兰情性，梅竹精神，长在心头。

回忆往事。上片写几次相见，又垂泪分别，画角呜咽，形成一团离愁。下片写浮云新月，伊人凭阑独立情况。下三句写心头常记着伊人的如兰似蕙的性情和如竹如梅的精神。这也就是说她心灵纯洁，品格坚贞。

如梦令

楼外残阳将暮，江上孤帆何处？搔首立东风，又是少年情绪。凝伫，凝伫，一抹淡烟轻雾。

远看楼外，太阳即将落完，时近黄昏，江上孤帆，不知开往何处，伫立良久，周围只有一抹淡烟轻雾。环境是够清幽的了。“少年情怀似酒浓”，这时万种情绪涌上心头，是人生常有的经验，词只点到这一瞬间，而不铺陈琐述，留给读者结合自己的经验思索，含蓄而极有韵味。

少年时期，人的生理和心理上都发生剧烈变化，喜怒哀乐的情绪纷至沓来，往往使人晕头转向，保持不了身心的平衡。第一，要了解这种现象是正常的，不要有任何恐惧心理。第二，要有知识和勇气，抓紧时机，使生活向高、深、广处发展。时时记住：“莫等闲白了少年头，空悲切！”

如梦令

镇日春阴漠漠，新燕乍穿帘幕。睡起不胜情，闲拾瑞香花萼。寂寞，寂寞，没个人人如昨。

漠漠，弥漫的意思。韩愈有这样一句诗：“漠漠轻阴晚自开。”新燕表明是初春时节。瑞香是木本花木，我只在故乡见过，是我父亲培植的。末句说明寂寞的原因。

黄孝迈　（生卒年代不详）

字德父，号雪舟，有《雪舟长短句》，不存。现仅存词两首。关于他的其他事迹毫无所知。

湘春夜月

近清明，翠禽枝上销魂。可惜一片清歌，都付与黄昏。欲共柳花低诉，怕柳花轻薄，不解伤春。念楚乡旅宿，柔情别绪，谁与温存？　　空樽夜泣，青山不语，残月当门。翠玉楼前，唯是有，一波湘水，摇荡湘云。天长梦短，问甚时、重见桃根？这次第、算人间没个并刀，剪断心上愁痕。

时近清明，翠禽歌声虽然动听，可惜只供黄昏欣赏。意外表示作者对它并不关心。柳花轻薄，不解伤春，心情也无法向它低诉。自己在楚地旅舍，孤苦寂寞，惜别柔情，无人可以安慰。下片写对酒看山，也只见到云彩在湘水上飘动，对自己并无同情。原因是夜长梦短，不知何时能重见桃根。王羲之的妾桃叶之妹名桃根，这里借指所爱的人。并刀是山西所产的锋利的剪刀，又没有它能剪断愁绪。

水龙吟

闲情小院沉吟，草深柳密帘空翠。风檐夜响，残灯慵剔，寒轻怯睡。店舍无烟，关山有月，梨花满地。二十年好梦，不曾圆合。而今老、都休矣。　　谁共题诗秉烛，两厌厌，天涯别袂。柔肠一寸，七分是恨，三分是泪。芳信不来，玉箫尘染，粉衣香退。待问春，怎把千红换得、一池绿水。

上片着重写环境景物，都借景表现作者忆旧的寂寞心情，没有什么难懂的地方。风檐夜响，是旧时楼檐下往往有小铃，有风时发出轻柔声音，你们或者没有听过。下三句写年岁已老，20年前好梦是无法重圆的了。下片写旧时聚首题诗，秉烛夜游之乐，现在却不通音信，玉箫上积有尘土，衣上香味也没有了。末三句写春季花开不能同赏，残红凋谢，只留下一池绿水了。

吴文英　（约1212—1272）

四明（今属浙江）人。本姓翁，入继吴氏。号梦窗，有《梦窗词稿》四卷，补遗一卷。

风入松

听风听雨过清明，愁草瘗花铭。楼前绿暗分携路，一丝柳一寸柔情。料峭春寒中酒，交加晓梦啼莺。　　西园日日扫林亭，依旧赏新晴。黄蜂频扑秋千索，有当时纤手香凝。惆怅双鸳不到，幽阶一夜苔生。

清明时节常有风雨，自然也多落花；愁草是不乐意写，瘗（音伊）花，葬花，“瘗花铭”是借用庾信的篇名。绿暗分携路，折柳相赠分手的地方，寸寸柳丝都表现惜别的柔情。料峭，寒冷貌；中酒，病酒；交加，冷与病酒轮流使人难受。这句和“晓梦啼莺”是进一步渲染离愁。下片写天晴时还天天打扫林亭，欣赏园中景物。看到黄蜂扑秋千索，当是伊人的手留下的香味还残存在索上。双鸳，鸳鸯总是成对的，这里用以比喻鞋，也就是不见伊人的踪迹了。“一夜苔生”是夸张写法，其实久无人走过，清明又多雨，阶上生苔是很自然的。

浣溪沙

门隔花深梦旧游，夕阳无语燕归愁，玉纤香动小帘钩。
落絮无声春堕泪，行云有影月含羞。春风临夜冷于秋。

首句写花繁茂遮掩门户，是梦到或忆及的旧游地方。二句写夕阳西下，燕子归来，并无呢喃燕语，似是含愁。三句写伊人的纤细香手拨动小帘上的钩。这两句写梦或忆中的情景，言外有地方依旧，人已远去之意。下片第一句写柳絮无声落地，仿佛春在流泪，二句写月亮被行云所掩，仿佛她在含羞。末句写入夜春风刮着，比秋天还要冷，写景而使人有凄清之感。

朝中措

闻桂香

海东明月锁云阴，花在月中心。天外幽香轻漏，人间仙影难寻。　　并刀剪叶，一枝晓露，绿鬓曾簪。惟有别时难忘，冷烟疏雨秋深。

词写因闻到桂花香而引起的联想。传说月亮中心有一株桂花，上片即联想到这个传说，明月把阴云驱散时，月中的桂花散发出幽香来，但在人间只闻到花香，却找不到仙影，即见不到意中人。下片因闻到桂香，回忆起一件往事：曾用锋利的剪刀剪去桂叶，将一枝带着朝露的桂花，插到伊人的头发上面。在深秋的冷烟疏雨中分别时的情形，是最令人难忘的。闻到桂香，就觉得天上人间都充满了离愁别恨。

唐多令

何处合成愁，离人心上秋。纵芭蕉不雨也飕飕。都道晚凉天气好，有明月，怕登楼。　　年事梦中休，花空烟水流。燕辞归、客尚淹留，垂柳不萦裙带住，漫长是、系行舟。

首句说心字上加一秋字，就合成了愁字。而这心是离人的。意思是说，离人的心上总免不了愁。即使天不下雨，芭蕉的叶子也飕飕作响。月明之夜，天气凉爽，离人也怕登楼远望，引起悲愁。年事，年岁，像落花流水一样，在梦中消逝了。燕子是候鸟，到时候就回去了，而我（客）却久留在外（淹留），不能归去。垂杨不把所爱的女子的裙带绕住（萦），却总是系住我的行舟，即不使心爱的人不离开，却把我久留在外。

徐君宝妻　（生卒年代不详）

岳阳（今属湖南省）人，不知其姓名，只从下词略知她的一段悲惨历史。

满庭芳

汉上繁华。江南人物，尚遗宣政风流。绿窗朱户，十里烂银钩。一旦刀兵齐举，旌旗拥，百万貔貅，长驱入，歌楼舞榭，风卷落花愁。　　清平三百载，典章文物，扫地俱休。幸此身未北，犹客南州。破鉴徐郎何在？空惆怅，相见无由。从今后，断魂千里，夜夜岳阳楼。

汉上，指汉水流域，包括岳阳等几个大城市，在当时还比较繁华。江南与汉上为互文，也就是指同一地区，风流人物也还有。从这两方面看，还有宋徽宗年号政和、宣和时期的遗风。那时候用油漆粉刷的豪华房屋（绿窗朱户），门窗的银钩闪闪发光，长达10里。追述这种表面繁荣，实际是对南宋末年苟安局面的鞭挞。与下文所写成为鲜明对照，增加了艺术效果。“一旦”以下，写元军凶如貔貅［读皮休（pí xiū），猛兽名，一说牡者为貔，牝者为貅］。长驱直入，将歌舞楼台，典章文物，摧毁无遗，像风卷落花一样。这种悲惨的亡国现象使人愁苦。“幸此身未北”以下，从一般描写转入个人遭遇，使乡国之忧更为深化。元兵攻占汉水流域各大城市，其中有词人故乡岳阳，这时她的丈夫徐君宝失踪，她本人被掳，但未被掳到北方，却带到了杭州（犹客南州），掳她的人想强娶她，她投水自杀，死前写了这首词。她虽想同她丈夫破镜（鉴）重圆，但不知他在什么地方，无法相见。徒增惆怅。末三句写死后的灵魂不会忘记故乡岳阳和丈夫，还要夜夜到千里之外的岳阳楼凝望。

文及翁 （生卒年代不详）

绵州（今四川绵阳县）人，后移居吴兴。宝祐元年（1253）进士，曾任官职。元兵将至时，弃官而去，终不再出。

贺新郎

一勺西湖水，渡江来，百年歌舞，百年酣醉。回首洛阳花世界，烟渺黍离之地。更不管，新亭堕泪。簇乐红妆摇画舫，问中流、击楫何人是？千古恨，几时洗？

余生自负澄清志。更有谁、磻溪未遇，傅岩未起。国事如今谁倚仗？衣带一江而已！便都道，江神堪恃。借问孤山林处士，但掉头、笑指梅花蕊。天下事，可知矣。

首句言西湖小，实言南宋苟安在杭州，地小力微。下言渡江以后，并未奋发图强，却只知歌舞酣醉。回顾以前的洛阳是繁花似锦的世界，现在却成长满小米的荒凉地方了。更不管，新亭堕泪，意思是不管北方沦陷区的人民了。“新亭堕泪”，用了一个典故：新亭指建业（今南京）的劳劳亭，是东晋名士常欢宴的地方。一天欢宴时，一人悲叹晋王室衰微，座上人皆流了泪。这里借以比喻南宋小朝廷不关心沦陷区人民。下面紧接着斥责执政者只知划着游艇，同歌女齐声歌唱（簇乐）寻乐，还有谁去做收复国土的中流砥柱，洗刷亡国的千古恨呢？下片首句说自己有救国安邦的大志。下面又用了两个典故：磻［读盘（Pán）］溪是姜尚隐居钓鱼的地方，在陕西宝鸡，周文王重用了他，对周王朝的兴起很有作用。傅岩，古地名，在山西平陆县，这地段的道路常被水冲坏，当时常用奴隶去筑墙阻止，傅说是其中的一人。殷的武丁发现了他，起用为相，出现了殷中兴的局面。这两句是说，现在还未发现姜尚和傅说这样的人，那么现在国事还靠谁呢？看来只有一衣带水的长江了！于是人人都说，江神是靠得住的，依靠他就万事大吉了！下句的林处士指林和靖，隐居在杭州孤山，以“梅妻鹤子”，不干世事知名，问问他吧，他只掉过头去，笑指梅花蕊罢了，也就是说，隐士也只知赏梅自善其身罢了。因而词人发出末句的慨叹。

周密　（1232—约1298）

济南人，流寓吴兴（分属浙江）。号草窗，与吴文英并称“二窗”。南宋淳祐中为义乌令，宋亡不再任官职。他有《草窗词》等，并曾编选《绝妙好词》。

一萼红

登蓬莱阁有感

步深幽，正云黄天淡，雪意未全休。鉴曲寒沙，茂林烟草，俯仰千古悠悠。岁华晚，飘零渐远，谁念我，同载五湖舟！磴古松斜，崖阴苔老，一片清愁。　回首天涯归梦，几魂飞西浦，泪洒东州。故国山川，故园心眼，还似王粲登楼。最怜他、秦鬟妆镜，好江山、何事此时游？为唤狂吟老监，共赋销忧。

蓬莱阁旧址在今浙江绍兴龙山下。

准备登蓬莱阁，先向幽静的深处走，可见离阁还有相当距离。这时天空是一片黄云，还有要下雪的样子。这样写天气，就为全词定下了凄伤情调。下两句是登阁看到的景物：鉴湖（即镜湖）一曲是贺知章归隐的地方；茂林指兰亭，王羲之写的《兰亭集序》中有“此地有……茂林修竹”句。寒沙、烟草都有景物凄凉的意味。俯仰，意如须臾，即在很短的时间内，悠悠千古即成过去，也就是《兰亭集序》中“俯仰之间已为陈迹”的意思。下面写自身经历：一年快完了，自己漂零在外，离乡越来越远，又不能像范蠡一样功成身退，在五湖（即太湖）荡舟，不知所终。怀着这样心情，又看到眼前景色：古老的石阶（磴）上松树歪歪斜斜；山崖阴湿处，苔藓苍老；所以就感到“一片清愁”了。下片开首回叙过去：那时离蓬莱阁所在地绍兴很远，飘流在外，却多次梦魂飞到西浦，并在东州流泪（西浦、东州均在绍兴）。“故国山川”三句的意思是：故国山川依旧，我一向把绍兴看成自己的故乡，而这次游览时的心情，却像王粲在《登楼赋》中所写的一样。王粲是东汉末年的一位诗人，他避难到荆州，写了《登楼赋》，其中有句：“虽信美而非吾土兮，曾何足以少留！”意思是：江山诚然很美丽，但已非我所有，就不足短时停留了。秦鬟，指秦望山，其形像妇女的发鬟；妆镜，指鉴湖，水面平如妇女梳妆用的镜子。它们依然是美好的河山，但可惜已为异族（元是蒙古族，与汉族不同）占领，为什么在这时候来游玩呢！言外有国破家亡的悲愤。狂吟老监，指唐诗人贺知章，因为他曾做过秘书监，自号四明狂客，晚年退隐鉴湖水曲，词人只好幻想唤起贺知章来，同自己一起吟咏消愁了。

在抗日战争期间，这首词同岳飞的《满江红》一样,激起许多人的爱国热情，并不是偶然的了。

刘辰翁 （1232—1297）

庐陵（今江西吉安）人，太学生，景定三年（1262）进士。曾任濂溪书院山长。宋亡不仕。

柳梢青

春　感

铁马蒙毡，银花洒泪，春入愁城。笛里番腔，街头戏鼓，不是歌声。　　那堪独坐青灯，想故国高台月明。辇下风光，山中岁月，海上心情。

这首词是元兵攻陷临安（愁城指沦陷的临安）的元宵节所写。这时作者已隐居山中，前三句所写非目睹，而是想象的情形：首句写元骑兵战马（铁马）骄横，马身上还蒙着毡防寒；银花指元宵节的灯和烟火，放出的不是花而是泪。耳朵听到的是笛子吹出的番（旧时对西方北方边境各族的通称）腔，大鼓发出的番调，均不悦耳——不是歌声。总之，在沦陷的地方，耳闻目睹的情况都令人悲愁。下片转写自己在山中对灯独坐，回想故国过去情况：故国高台明月，明月照耀下的故都及下有高台的宫殿。最后三句分写三处：辇下，皇帝辇载下面，意指京师，此写京师景物，是由悬想临安（今杭州南宋的都城）元宵而联想起来的；山中岁月，是联想到自己避难山中所度过的孤苦岁月；海上心情，联想到临安沦陷后，陆秀夫、张世杰等人在沿海地区，拥赵昰〔读是［shì］〕为帝，继续抗元，作者心向往之，怀着一线复国希望。亡国之悲，故国之爱，个人的感受，三者就熔于一炉了。

永遇乐

余自乙亥上元诵李易安《永遇乐》，为之涕下。今三年矣，每闻此词，辄不自堪，遂依其声，又托之易安自喻，虽辞情不及，而悲苦过之。

璧月初晴，黛云远澹，春事谁主？禁苑娇寒，湖堤倦暖，前度遽如许。香尘暗陌，华灯明昼，长是懒携手去。谁知道、断烟禁夜，满城似愁风雨。　　宣和旧日，临安南渡，芳景犹自如故。缃帙流离，风鬟三五，能赋词最苦。

江南无路，鄜州今夜，此苦又谁知否？空相对，残釭无寐，满村社鼓。

乙亥为宋恭宗德祐元年（1275），次年恭帝出降，宋亡。词为宋亡后的1278年所写。首两句写初晴，玉似的月圆，淡蓝色的云远，三句感慨：这样美好的春景，“谁主浮沉”？因此引起对临安未陷前春节情景的回忆：以前这时节总是微寒笼罩着玉宫园苑，西湖堤上温暖使人感到疲倦。晚间灯火辉煌，如同白天，看灯妇女的车子扬起香尘，使道路都看不清了。下面一转，写元军侵占后，哪知道元军不仅禁止烟火，夜间也不准通行，闹得满城愁风苦雨。下片“宣和旧日”到“能赋词最苦”，是拿李易安比喻自己。下片前三句，写旧时宣和年间，金人攻陷汴京，掳走徽钦二帝，宋室南渡迁都临安（今杭州），自然景物虽未大变，人事却不一样了。亡国之灾，两人是相同的。李易安在南逃时，家藏书卷古器全部散失，蓬头垢面，丈夫又死了，个人生活因家破人亡而悲苦不堪。她是大词人，在词中最能抒写国破家亡，个人生活不幸的灾难，所以刘辰翁说他每诵《永遇乐》，总“为之涕下”。两个词人的遭遇，在这一点上也是相同的。“江南无路”三句是联想到杜甫，他在安禄山陷长安时困在那里，家室却在鄜州，他写了《月夜》：“今夜鄜州月，闺中只独看。

遥怜小儿女，未解忆长安。香雾云鬟湿，清辉玉臂寒。何时倚虚幌，双照泪痕干？”刘辰翁在江南大片土地被元军侵占后，流浪了三年，无家可归，因此与杜甫有同样遭遇，引以自喻，也很自然。可是这种苦处，有谁知道呢？结果只有空对残灯，睡不着觉了。这时听到满村敲鼓的声音，更增加自己孤独凄苦之感了。

文天祥　（1236—1283）

吉州庐陵（在今江西吉安）人。理宗宝祐四年（1256）状元。恭帝德祐元年（1275），元兵进扰，文天祥在家乡起兵抗元，次年除右丞相兼枢密使，赴敌营议和被拘，逃脱了。之后在赣闽等地与元兵战，兵败被俘，不屈就义于大都（今北京）。

酹江月

驿中言别友人

水天空阔，恨东风，不借世间英物。蜀鸟吴花残照里，忍见荒城颓壁。铜雀春情，金人秋泪，此恨凭谁雪？堂堂剑气，斗牛空认奇杰。　那信江海余生，南行万里，属扁舟齐发。正为鸥盟留醉眼，细看涛生云灭。睨柱吞嬴，回旗走懿，千古冲冠发。伴人无寐，秦淮应是孤月。

这首词用的典故太多，本来不想选给你们读，可是典故都是故事性质，你们有些是知道的，就当故事听听吧。词的本身是值得一读的，因为表现了民族的浩然正气。

驿，指金陵驿馆，文被囚之地。友人指邓剡，当时因病滞留金陵。话别大概是邓去看望文。

首三句用的是三国赤壁之战的故事。魏的曹操同联盟的吴孙权、蜀刘备交战，有东风之便，吴蜀火烧了曹军的兵船而大胜，定下了三国鼎立的局面。而这次宋元也在长江水天空阔处打仗，可惜无东风帮助宋方英雄豪杰，因而宋败了。蜀鸟是杜鹃，传说是蜀国的皇帝所化，故称蜀鸟；金陵是吴的旧都，故称那里的花为吴花；杜鹃声悲，花在夕阳残照中也显得黯然失色，由它们做背景，使人不忍看被元兵破坏后金陵的荒城颓壁。铜雀春情，又回到赤壁之战了。杜牧有两句写赤壁之战的诗："东风不与周郎便，铜雀春深锁二乔。"——这就是说，如东风不帮周瑜的忙，曹操会把周瑜的妻子小乔，孙策的妻子大乔掳去，锁在自己为着享乐而建的铜雀台里了。这是悲叹元将宋的嫔妃掳走。金人秋泪说的是另一段故事。汉武帝铸一个金铜仙人，掌上捧个盘子接露水，据说喝了可以长生，魏篡夺政权后，魏明帝去劫运金铜仙人，拆盘以后，要载运仙人时，仙人流了泪。这个故事比喻南宋文物被元劫走。嫔妃被掳，文物被劫，谁去雪这个耻呢？

自己有抗元复仇之志，不言自明。下面两句又涉及一段故事。《晋书·张华传》里记：“斗牛之间常有紫气。张华邀雷焕仰视。焕曰：宝剑之精，上彻于天耳。”斗牛，指北斗七星和牵牛织女二星，它们中间有一股紫气。张华邀雷焕仰面观看。焕说：这股紫气是宝剑的精，向上射到天上了。后来在丰城一带果然发现了一对宝剑。文天祥是庐陵人，自以为可以沾到宝剑之精的光，成为杰出抗元英雄，但却落了个空。这是谦虚自责，没有完成抗元救国的大业。下片写第一次被俘逃出后，幸保余生，到万里之外的闽粤地带，还能率兵抗元；二次被俘，押在金陵，不相信再有逃出抗元的可能，只有准备一死了。这就为好友（鸥盟，黄庭坚《登快阁》诗中有一句：“此心我与白鸥盟”，与鸥结盟，就有与人结为好友的意思了。）留下了遗言：细心观察时事的变化（涛生云灭）。睨柱吞嬴，用的是蔺相如完璧归赵的故事：秦王说愿意以七城换赵王的和氏璧，蔺相如送璧去时，发现秦王无信，怒欲与璧共存亡，做出要以璧击柱的架势，后设计怀璧归赵，挫败了秦王（吞嬴，嬴是秦王的姓）。回旗走懿，指诸葛亮死时留下遗言，教姜维设计把来追的司马懿吓退。下句言自己抗元之志至死不变，死后还寄希望于后生。末两句写与友人别后，自己当更感孤寂，不能成眠，做伴的只有秦淮河上的孤月了。

蒋捷 （生卒年代不详）

阳羡（今属江苏宜兴）人。咸淳十年（1274）进士。宋亡不仕，隐居竹山，有《竹山词》一卷，人称竹山先生。

霜天晓角

人影窗纱，是谁来折花？折则从他折去，知折去，向谁家？　　檐牙枝最佳，折时高折些。说与折花人道："须插向，鬓边斜。"

首二句写见到纱窗上有人影，自问是什么人来折花呀。下言随他折吧，但不知道折了送到谁家。下片进一步为折花人设想，愿他折屋檐瓦下最佳的花枝。（属檐下滴水的瓦像牙，因称檐牙）下句更向折花人表示体贴，告诉他，花枝要斜插在女子的鬓旁。全词写得极有风趣。

一剪梅

舟过吴江

一片春愁待酒浇。江上舟摇，楼上帘招。秋娘渡与泰娘桥。风又飘飘，雨又萧萧。　　何日归家洗客袍？银字笙调，心字香烧。流光容易把人抛。红了樱桃，绿了芭蕉。

吴江是长江下游流过江苏的一段。春天以酒消愁，在江上坐船，看见江岸酒家的酒幌招展。秋娘渡和泰娘桥是船所经过的地方。这时正刮着风，下着雨。下片写乡愁，什么时候才能回到家里，洗洗在外面漂流穿的衣服呢？下面两句想象能在家里调银字笙（乐器名），烧心字香（一种用薄沉香木片裹起半开茉莉绕成心字的香）。末三句叹时光消逝得太快。樱桃刚红，芭蕉又绿了，形象地写时光飞逝。

如梦令

村 景

夜月溪篁鸾影，晓露岩花鹤顶。半世踏红尘，到底输他村景。村景，村景，樵斧、耕蓑、渔艇。

前三句写乡村景物：夜月、晓露；溪边的竹，岩上的花；鸾影和鹤顶。它们组成美丽的画图，引人入胜。下两句说在人间世上生活了半生，觉得尘世不如乡村好。末句写乡村常见的事物，也就是写乡村劳动生活健康而富有生趣了。

张炎　(1248—?)

原为成纪（今甘肃天水）人，后住在临安。宋亡，过流落生活，曾在四明（今宁波）设卜市。对词学有研究。著有《词源》、《山中白云词》（又名《玉田词》）。

高阳台

西湖春感

接叶巢莺，平波卷絮，断桥斜日归船。能几番游？看花又是明年。东风且伴蔷薇住，到蔷薇、春已堪怜。更凄然，万绿西泠，一抹荒烟。　当年燕子知何处？但苔深韦曲，草暗斜川。见说新愁，如今也到鸥边。无心再续笙歌梦，掩重门、浅醉闲眠。莫开帘，怕见飞花，怕听啼鹃。

这首词是作者北游燕蓟，南归游西湖之后所写。词写晚春景象，借景抒写亡国悲痛，因为这时宋已亡于元了。首句写树叶繁茂，叶叶相接，把莺巢都遮掩住了。二句写西湖波静水平，把落下的柳絮卷走了。断桥是靠近孤山的西湖的一个景点，这里有落日照着回家的船。写景极佳。下面写春暮：明年再看花，自然百花已经凋谢了。东风虽还陪着蔷薇，但蔷薇开花已在春末夏初，春已经很可怜了。更凄然的是：原来万花似锦，绿叶招展的西泠［读玲（líng）］桥，现在只有一片荒烟了。这自然是对元兵践踏之后，西湖到处荒凉的概括。下片首句是用刘禹锡两句诗的意思："旧时王谢堂前燕，飞入寻常百姓家"，叹旧时贵族人家的衰落。韦曲，在唐朝是韦后家所在地，在长安城南明德门外。杜甫《奉陪郑驸马韦曲二首》有两句："韦曲花无赖，家家恼杀人"，说明那里花很多。斜川在江西星子县，是文人游会处，陶渊明曾有《游斜川》诗。这里用典是指西湖，并不实指那两个地方。但联想起一处青苔已深，一处枯草很厚，都荒凉之至了。是进一步写西湖被元兵糟蹋的惨状。见说，听别人说，原来无忧无虑的海鸥，现在也发起愁来了，是亡国之悲更进一步深化。因此说自己无心以笙歌取乐，只有闭起重门，微醉闲眠以自遣了。末三句更进一步，不打开帘子，因为既怕看到飞花，也怕听到杜鹃鸣叫。

四字令

莺吟翠屏，帘吹絮云。东风也怕花瞋，带飞花赶春。
邻娃笑迎，嬉游趁晴。明朝何处相寻？那人家柳阴。

首两句写室内室外：室内有画屏，室外有莺鸣；门上有帘，如云的柳絮飞扑到帘上。东风怕花生气，吹着花去追赶春天，大概是想把春挽留住，自有惜春之意。下片写邻娃见此情景，趁着天晴春在，好好玩一下。明天到什么地方寻找飞花呢？怕已经被吹到别人家杨柳树荫下了。有珍惜现时，享乐人生的意思。

无名氏

诉衷情

碧天明月晃金波，清浅滞星河。深深院宇人静，独自问姮娥。　　圆夜少，缺时多，事因何，嫦娥莫是、也有别离，一似人么？

首句写明月闪耀着金色光辉，二句写天河的水显得清浅。深宅夜阑人静，自己向月里嫦娥提出问题。下片即是所提的问题：为什么月圆时少，月缺时多？难道嫦娥也像人一样，有别离之恨吗？词委婉地表达了自己的离愁别恨。

无名氏

御街行

霜风渐紧寒侵被，听孤雁，声嘹唳。一声声送一声悲，云淡碧天如水。披衣告语：雁儿略住，听我些儿事。

塔儿南畔城儿里，第三个桥儿外，濒河西岸小红楼，门外梧桐雕砌。请教且与、低声飞过，那里有、人人无寐。

这首词是客居远方、怀念家人的人所写，以详细口语托雁捎话，构思很新奇，感情亦很真挚朴实。嘹唳，雁鸣声，清而响亮，因是孤雁，所以声悲。这时天清云淡，所以披衣起来，请雁略停，听他要嘱托的事。下片细写所怀念的人住处及环境，雕砌是刻花的台阶。末两句的大意是：我所怀念的人还未入睡，请你低声飞过，姑且对她如此这般说几句吧。

无名氏

青玉案

年年社日停针线，怎忍见，双飞燕！今日江城春已半，一身犹在，乱山深处，寂寞溪桥畔。　　春衫著破谁针线？点点行行泪痕满。落日解鞍芳草岸。花无人戴，酒无人劝，醉也无人管。

社日，有春社、秋社，是祭土地神的日子，民间习俗，这一天停止编织、针线活。有人评这首词“语淡而情浓，事浅而言深”。

结束语

正辉、正虹、正霞：

你们在中学读过几首词，对词不是完全陌生的，这里，我再简略给你们讲点有关的常识。

词的起源可以追溯到隋代，首先是以民歌形式出现的，如《柳枝》；也往往与劳动有联系，如《水调》，就是开凿运河的产物。到了唐代，歌词虽然仍为五言七言，同绝句没有什么不同，但为了歌唱，要加上“泛声”“衬字”，有声而无意义。例如皇甫松的《采莲子》：

菡萏香连十顷陂。（举棹）
小姑贪戏采莲迟。（年少）
晚来弄水船头湿。（举棹）
更脱红裙裹鸭儿。（年少）

“举棹”和“年少”就是“泛声”，为歌唱而加上的，并无文意。

另一种办法，就是兼顾到文意，适当增字或减字。

但是这两种办法，都不能满足以歌唱为主的需要，诗体必须变革。这种创新的任务，也是由许多无名作者完成的。1900 年，在敦煌发现了 1160 多首曲子词，只有几首有温庭筠、欧阳炯的名字。曲子词就是有歌唱曲调的歌词，是这种诗体的原名，以后只简称为词了。词因为句子字数多少不同，又被称为长短句。还有其他名称，就不必多说了。

《诗经》里的诗和以后的乐府诗，也是可以歌唱的。在《唐人绝句启蒙》中，我为你们讲了一个故事：王昌龄、高适和王之涣三位诗人听四个歌伎唱入乐的绝句，三人相约，谁的绝句被唱最多，谁是胜利者。唱的第一首是王昌龄的，第二首是高适的，第三首又是王昌龄的。王之涣有点着急了，便请一位最美的歌伎唱，她唱的却是王之涣的《凉州词》（“黄河远上白云间，一片孤城万仞山。羌笛何须怨杨柳，春风不度玉门关。”），三人鼓掌大笑。歌伎得知他们是绝句的作者，就邀请他们参加了她们的宴会。可见绝句也是可以歌唱的，可惜我们现在不知道怎样唱了。

但是诗是照诗谱曲，词却是按照已有的曲调填写文字，所以称为填词。不过，后来的文人也没有完全照曲调填写。

词的曲调是很多的，都有固定的格式，我们只选讲几种作为例子。初期的字数少，称为小令；以后字数增多，称为慢词。虽然后者在唐五代时已经出现，但初期宋词人采用者少，到柳永才使慢词得到发展。宋代词人也有所谓

“自度曲”，就是自己创制新调，但只系个别人，就不举例了。

以下三种曲调是小令。下面是晏殊写的《浣溪沙》：

一曲新词酒一杯，去年天气旧亭台，夕阳西下几时回？无可奈何花落去，似曾相识燕归来，小园香径独徘徊。

这首词的句式是：

◒●◒○◒●○韵◒○◒●●○○韵◒○◒●●○○韵

◒●◒○○●●句◒○◒●●○○韵◒○◒●●○○韵

（◒表示平、仄均可；●表示仄；○表示平。）

下面是欧阳修的《浪淘沙令》：

把酒祝东风，且共从容。垂杨紫陌洛城东，总是当时携手处，游遍芳丛。　聚散苦匆匆，此恨无穷。今年花胜去年红。可惜明年花更好，知与谁同？

这首词的句式是：

◒●●○○韵◒●○○韵◒○◒●●○○韵◒●◒○○●●句◒●○○韵　◒●●○○韵◒●○○韵◒○◒●●○○韵◒●◒○○●●句◒●○○韵

我们下面举柳永的《雨霖铃》，作慢词一例：

寒蝉凄切，对长亭晚，骤雨初歇。都门帐饮无绪，方留恋处，兰舟催发。执手相看泪眼，竟无语凝噎。念去去、千里烟波，暮霭沉沉楚天阔。　　多情自古伤离别，更那堪，冷落清秋节！今宵酒醒何处？杨柳岸，晓风残月。此去经年，应是良辰、好景虚设。便纵有，千种风情，更与何人说？

这首词的句式是：

○○◒●韵●○○●句●●○●韵○○◒◒◒●句○○●●句○○○●韵●●○○◒●句●○◒○●韵●●◒逗○●○○句●●○○●○●韵　　◒○●●○○●韵●○○逗●●○○●韵◒○●◒◒●句◒●●逗●○○●韵●●○○句○●○○句●◒○●韵●●●逗◒●○○句●●○○韵

下面是柳永的《浪淘沙慢》：

梦觉、透窗风一线，寒灯吹熄。那堪酒醒，又闻空阶、夜雨频滴。嗟因循，久作天涯客。负佳人、几许盟言，更忍把、从前欢会，陡顿翻成忧戚。　　恶极，再三追思，洞房深处，几度饮散歌阑，香暖鸳鸯被，岂暂时疏散，费伊心力。殢雨尤云，有万般千种相怜惜。到如今，天长漏永，无端自家疏隔。知何时，却拥秦云态？愿低帏昵枕，轻轻细说与，江乡夜夜，数寒更思忆。

这首词的句式是：

●●逗●○○●●句○○○●韵○○○●句●○○○句●●○●韵○○○●●○○●韵●○○逗●●○○句●●●逗○○○●句●●○○○●韵　○●韵●○○○句●○○●句●●●●○○句○●○○●句●●○○●句●○○●韵●●○○句●●○○●○○●韵●○○逗○○●●句○○●○○●韵○○○逗●●○○●句●○○●●句○○●●●句○○●●句●○○○●韵

词的小令（如浪淘沙）后加一“慢”字，即变为慢调了。这种形式可以类推。

我们平常时时看到“宋词”二字，其实唐五代已是蓓蕾初放时期。例如张志和（约730—786）的《渔歌子》（“西塞山前白鹭飞，桃花流水鳜鱼肥。青箬笠，绿蓑衣，斜风细雨不须归。”）就是按曲调填的词，不仅在当时和的人很多，并很快流传到日本，一位天皇还和了5首。

之后刘禹锡、白居易都从民歌学习，刘写了一组《竹枝词》，白写过《忆江南》，刘唱和一首，明言依《忆江南》曲拍为句，这就使词从民间正式登上文坛了。简单说，词在唐代已经逐渐取得了相当的地位，产生了不少有名的作者，我为你们选讲了一些篇。五代南唐后主李煜，虽是亡国之君，却是词林的著名大家。

宋词一般分为“北宋”和“南宋”两个时期，是以宋王朝政治变化划分的。以词人的流派和风格细分为更多时代，自然也可以，不过我们只划为两个时代，略加说明。

960 年宋朝开国，1127 年，发生了靖康事变，也就是女真族金人攻破了汴京，把徽、钦二帝掳走，史称北宋。1127 年，赵构先在南京（今商丘）即位，后在临安（今杭州）建了小朝廷，同金人对峙，公元 1279 年为蒙古族的元所灭，史称南宋。

北宋到仁宗朝（1022—1063），经济繁荣，国泰民康，词才蓬勃发展起来，出了晏殊父子、欧阳修、柳永、苏轼等大作家。

靖康事变使北宋灭亡，词坛也因而大大改观，内容和风格都起了很大的变化。出现了李清照、辛弃疾、陆游等大作家。

可是北宋末年曾出现过醉生梦死的颓废作品；南宋末年也有粉饰太平，流连歌舞的“百年歌舞，百年酣醉”的词风。但这些毕竟只是大浪中的涟漪，无阻于江河的奔流。

词是有生命力的诗体之一，直到现在还有不少人写作。毛泽东主席的词，不是还为广大的中国人民所乐读传诵吗？这是我国优秀文化传统的组成部分，所以我们选讲一些首，希望你们能吸收精华，提高自己的精神境界。但切忌发生骸骨留恋的念头。要不然，你们就走上倒退的道路了。

最后让我引岳飞词中的警句，作为对你们的赠言：

莫等闲白了少年头，空悲切！

1991年6月28日